본문이 있는

채움 쓰기성경®

창세기

2026년 1월 5일 1판 7쇄 발행

발 행 인 곽 성 종
발 행 처 (주)아 가 페 출 판 사
등록번호 제21-754호(1995. 4. 12)
주 소 서울시 관악구 남부순환로 2082-33 (남현동)
전 화 (02)584-4669

아가페 출판사

채움 쓰기성경® 활용법

창세기 1:30–2:8 년 월 일 ······ 필사 날짜를 쓰실 수 있습니다.

먹을 거리가 되리라
절 숫자 ······ 30 또 땅의 모든 짐승과 하늘의 모든 새와
생명이 있어 땅에 기는 모든 것에게는
내가 모든 푸른 풀을 먹을 거리로 주노
라 하시니 그대로 되니라
31 하나님이 지으신 그 모든 것을 보시니
보시기에 심히 좋았더라 저녁이 되고
아침이 되니 이는 여섯째 날이니라
장 숫자 ······ 2 천지와 만물이 다 이루어지니라
2 하나님이 그가 하시던 일을 일곱
째 날에 마치시니 그가 하시던 모든 일
을 그치고 일곱째 날에 안식하시니라
3 하나님이 그 일곱째 날을 복되게 하사
거룩하게 하셨으니 이는 하나님이 그
창조하시며 만드시던 모든 일을 마치
시고 그 날에 안식하셨음이니라

소제목 ······ 에덴 동산

4 ●이것이 천지가 창조될 때에 하늘과
땅의 내력이니 여호와 하나님이 땅과
하늘을 만드시던 날에
5 여호와 하나님이 땅에 비를 내리지 아
니하셨고 땅을 갈 사람도 없었으므로
들에는 초목이 아직 없었고 밭에는 채
소가 나지 아니하였으며
6 안개만 땅에서 올라와 온 지면을 적셨
더라
7 여호와 하나님이 땅의 흙으로 사람을
지으시고 생기를 그 코에 불어넣으시
니 사람이 생령이 되니라
8 여호와 하나님이 동방의 에덴에 동산
을 창설하시고 그 지으신 사람을 거기

30

31

2 ······ 장 숫자 수록
2
3 ······ 절 숫자 수록

에덴 동산

4 ●
5
6 ······ 왼쪽 면의 성경 본문을 보면서 절에 맞춰 쓰시면 됩니다.
7
8

채움 쓰기성경® 쓰기표

창세기	1	2	3	4	5	6	7	8	9	10	11	12	13	14	15	16	17	18	19	20	21	22	23	24	25	26	27	28
	29	30	31	32	33	34	35	36	37	38	39	40	41	42	43	44	45	46	47	48	49	50						

일러두기

- 필사를 마친 부분을 색펜이나 형광펜으로 표시하세요.
- 평일에 3장, 주일에 5장이면 성경 전체를 일 년에 완필하실 수 있습니다.
- 하루의 십일조(2.4시간)를 드리면, 일 년에 완필하실 수 있습니다.
- 한 가정에서 가족들이 함께 나누어 필사할 수도 있습니다.

특 징

- 성경 본문의 가독성이 뛰어나 오래 보아도 눈이 피로하지 않습니다.
- 성경 본문이 인쇄되어 있어, 언제 어디서든 필사가 가능합니다.
- 장, 절, 소제목이 인쇄되어 있어, 1:1로 맞추어 필사할 수 있습니다.
- 필사 공간을 넉넉하게 편집하여, 큰 글씨로 써도 편안합니다.
- 180도 잘 펴지는 특수 제본으로 편리하게 쓸 수 있습니다.
- 본문 용지는 필기감이 좋고, 비침이 적으며, 잉크가 번지지 않는 최고급 종이입니다.
- 한국교회가 성경필사로 뿌리내린 것처럼, 말씀을 필사해 자녀에게 믿음의 유산으로 남길 수 있습니다.
- 아가페 쓰기성경® 전용펜을 함께 사용하시면 좋은 필기감으로 깨끗하게 쓸 수 있습니다.

1. 성경은 성령님의 감동으로 이루어진 하나님의 말씀입니다. (딤후 3:16)
2. 성경은 주야로 묵상하여야 할 우리 삶의 지침입니다. (시 1:2)
3. 성경은 우리를 하나님의 사람으로 온전케 하는 진리입니다. (딤후 3:17)
4. 성경은 일점 일획도 변함없이 이루어질 하나님의 약속입니다. (마 5:18)
5. 성경은 사람을 구원에 이르게 하는 지혜의 말씀입니다. (요 20:31; 딤후 3:15)
6. 성경말씀은 성령께서 쓰시는 검(劍)입니다. 영적전투의 공격용 무기입니다. (엡 6:17)
7. 성경말씀의 핵심은 하나님을 사랑하며, 이웃을 사랑하는 것입니다. (마 22:37-40)
8. 매일 시간을 정해 놓고 하며, 기도로 시작하여 기도로 끝냅니다.

창세기

Genesis

천지 창조

1 태초에 하나님이 천지를 창조하시니
라
2 땅이 혼돈하고 공허하며 흑암이 깊음
위에 있고 하나님의 영은 수면 위에 운
행하시니라
3 하나님이 이르시되 빛이 있으라 하시
니 빛이 있었고
4 빛이 하나님이 보시기에 좋았더라 하
나님이 빛과 어둠을 나누사
5 하나님이 빛을 낮이라 부르시고 어둠
을 밤이라 부르시니라 저녁이 되고 아
침이 되니 이는 첫째 날이니라
6 ●하나님이 이르시되 물 가운데에 궁
창이 있어 물과 물로 나뉘라 하시고
7 하나님이 궁창을 만드사 궁창 아래의
물과 궁창 위의 물로 나뉘게 하시니 그
대로 되니라
8 하나님이 궁창을 하늘이라 부르시니라
저녁이 되고 아침이 되니 이는 둘째 날
이니라
9 ●하나님이 이르시되 천하의 물이 한
곳으로 모이고 뭍이 드러나라 하시니
그대로 되니라
10 하나님이 뭍을 땅이라 부르시고 모인
물을 바다라 부르시니 하나님이 보시
기에 좋았더라
11 하나님이 이르시되 땅은 풀과 씨 맺는
채소와 각기 종류대로 씨 가진 열매 맺

천지 창조

1
2
3
4
5
6 ●
7
8
9 ●
10
11

는 나무를 내라 하시니 그대로 되어
12 땅이 풀과 각기 종류대로 씨 맺는 채소
와 각기 종류대로 씨 가진 열매 맺는
나무를 내니 하나님이 보시기에 좋았
더라
13 저녁이 되고 아침이 되니 이는 셋째 날
이니라
14 ● 하나님이 이르시되 하늘의 궁창에
광명체들이 있어 낮과 밤을 나뉘게 하
고 그것들로 징조와 계절과 날과 해를
이루게 하라
15 또 광명체들이 하늘의 궁창에 있어 땅
을 비추라 하시니 그대로 되니라
16 하나님이 두 큰 광명체를 만드사 큰 광
명체로 낮을 주관하게 하시고 작은 광
명체로 밤을 주관하게 하시며 또 별들
을 만드시고
17 하나님이 그것들을 하늘의 궁창에 두
어 땅을 비추게 하시며
18 낮과 밤을 주관하게 하시고 빛과 어둠
을 나뉘게 하시니 하나님이 보시기에
좋았더라
19 저녁이 되고 아침이 되니 이는 넷째 날
이니라
20 ● 하나님이 이르시되 물들은 생물을
번성하게 하라 땅 위 하늘의 궁창에는
새가 날으라 하시고
21 하나님이 큰 바다 짐승들과 물에서 번
성하여 움직이는 모든 생물을 그 종류
대로, 날개 있는 모든 새를 그 종류대
로 창조하시니 하나님이 보시기에 좋

12
13
14 ●
15
16
17
18
19
20 ●
21

았더라
22 하나님이 그들에게 복을 주시며 이르
시되 생육하고 번성하여 여러 바닷물
에 충만하라 새들도 땅에 번성하라 하
시니라
23 저녁이 되고 아침이 되니 이는 다섯째
날이니라
24 ●하나님이 이르시되 땅은 생물을 그
종류대로 내되 가축과 기는 것과 땅의
짐승을 종류대로 내라 하시니 그대로
되니라
25 하나님이 땅의 짐승을 그 종류대로, 가
축을 그 종류대로, 땅에 기는 모든 것
을 그 종류대로 만드시니 하나님이 보
시기에 좋았더라
26 하나님이 이르시되 우리의 형상을 따
라 우리의 모양대로 우리가 사람을 만
들고 그들로 바다의 물고기와 하늘의
새와 가축과 온 땅과 땅에 기는 모든
것을 다스리게 하자 하시고
27 하나님이 자기 형상 곧 하나님의 형상
대로 사람을 창조하시되 남자와 여자
를 창조하시고
28 하나님이 그들에게 복을 주시며 하나님
이 그들에게 이르시되 생육하고 번성하
여 땅에 충만하라, 땅을 정복하라, 바다
의 물고기와 하늘의 새와 땅에 움직이
는 모든 생물을 다스리라 하시니라
29 하나님이 이르시되 내가 온 지면의 씨
맺는 모든 채소와 씨 가진 열매 맺는
모든 나무를 너희에게 주노니 너희의

22

23

24 ●

25

26

27

28

29

먹을 거리가 되리라
30 또 땅의 모든 짐승과 하늘의 모든 새와
생명이 있어 땅에 기는 모든 것에게는
내가 모든 푸른 풀을 먹을 거리로 주노
라 하시니 그대로 되니라
31 하나님이 지으신 그 모든 것을 보시니
보시기에 심히 좋았더라 저녁이 되고
아침이 되니 이는 여섯째 날이니라

2

천지와 만물이 다 이루어지니라
2 하나님이 그가 하시던 일을 일곱
째 날에 마치시니 그가 하시던 모든 일
을 그치고 일곱째 날에 안식하시니라
3 하나님이 그 일곱째 날을 복되게 하사
거룩하게 하셨으니 이는 하나님이 그
창조하시며 만드시던 모든 일을 마치
시고 그 날에 안식하셨음이니라

에덴 동산

4 ●이것이 천지가 창조될 때에 하늘과
땅의 내력이니 여호와 하나님이 땅과
하늘을 만드시던 날에
5 여호와 하나님이 땅에 비를 내리지 아
니하셨고 땅을 갈 사람도 없었으므로
들에는 초목이 아직 없었고 밭에는 채
소가 나지 아니하였으며
6 안개만 땅에서 올라와 온 지면을 적셨
더라
7 여호와 하나님이 땅의 흙으로 사람을
지으시고 생기를 그 코에 불어넣으시
니 사람이 생령이 되니라
8 여호와 하나님이 동방의 에덴에 동산
을 창설하시고 그 지으신 사람을 거기

30

31

2

2

3

에덴 동산

4 ●

5

6

7

8

두시니라
9 여호와 하나님이 그 땅에서 보기에 아
름답고 먹기에 좋은 나무가 나게 하시
니 동산 가운데에는 생명 나무와 선악
을 알게 하는 나무도 있더라
10 강이 에덴에서 흘러 나와 동산을 적시
고 거기서부터 갈라져 네 근원이 되었
으니
11 첫째의 이름은 비손이라 금이 있는 하
윌라 온 땅을 둘렀으며
12 그 땅의 금은 순금이요 그 곳에는 베델
리엄과 호마노도 있으며
13 둘째 강의 이름은 기혼이라 구스 온 땅
을 둘렀고
14 셋째 강의 이름은 힛데겔이라 앗수르
동쪽으로 흘렀으며 넷째 강은 유브라
데더라
15 여호와 하나님이 그 사람을 이끌어 에
덴 동산에 두어 그것을 경작하며 지키
게 하시고
16 여호와 하나님이 그 사람에게 명하여
이르시되 동산 각종 나무의 열매는 네
가 임의로 먹되
17 선악을 알게 하는 나무의 열매는 먹지
말라 네가 먹는 날에는 반드시 죽으리
라 하시니라
18 ●여호와 하나님이 이르시되 사람이
혼자 사는 것이 좋지 아니하니 내가 그
를 위하여 돕는 배필을 지으리라 하시
니라
19 여호와 하나님이 흙으로 각종 들짐승

9
10
11
12
13
14
15
16
17
18 ●
19

과 공중의 각종 새를 지으시고 아담이
무엇이라고 부르나 보시려고 그것들을
그에게로 이끌어 가시니 아담이 각 생
물을 부르는 것이 곧 그 이름이 되었더
라
20 아담이 모든 가축과 공중의 새와 들의
모든 짐승에게 이름을 주니라 아담이
돕는 배필이 없으므로
21 여호와 하나님이 아담을 깊이 잠들게
하시니 잠들매 그가 그 갈빗대 하나를
취하고 살로 대신 채우시고
22 여호와 하나님이 아담에게서 취하신
그 갈빗대로 여자를 만드시고 그를 아
담에게로 이끌어 오시니
23 아담이 이르되 이는 내 뼈 중의 뼈요
살 중의 살이라 이것을 남자에게서 취
하였은즉 여자라 부르리라 하니라
24 이러므로 남자가 부모를 떠나 그의 아
내와 합하여 둘이 한 몸을 이룰지로다
25 아담과 그의 아내 두 사람이 벌거벗었
으나 부끄러워하지 아니하니라

사람의 불순종과 하나님의 심판 선언

3 그런데 뱀은 여호와 하나님이 지으
신 들짐승 중에 가장 간교하니라 뱀
이 여자에게 물어 이르되 하나님이 참
으로 너희에게 동산 모든 나무의 열매
를 먹지 말라 하시더냐
2 여자가 뱀에게 말하되 동산 나무의 열
매를 우리가 먹을 수 있으나
3 동산 중앙에 있는 나무의 열매는 하나
님의 말씀에 너희는 먹지도 말고 만지

20

21

22

23

24

25

사람의 불순종과 하나님의 심판 선언

3

2

3

지도 말라 너희가 죽을까 하노라 하셨
느니라
4 뱀이 여자에게 이르되 너희가 결코 죽
지 아니하리라
5 너희가 그것을 먹는 날에는 너희 눈이
밝아져 하나님과 같이 되어 선악을 알
줄 하나님이 아심이니라
6 여자가 그 나무를 본즉 먹음직도 하고
보암직도 하고 지혜롭게 할 만큼 탐스
럽기도 한 나무인지라 여자가 그 열매
를 따먹고 자기와 함께 있는 남편에게
도 주매 그도 먹은지라
7 이에 그들의 눈이 밝아져 자기들이 벗
은 줄을 알고 무화과나무 잎을 엮어 치
마로 삼았더라
8 그들이 그 날 바람이 불 때 동산에 거니
시는 여호와 하나님의 소리를 듣고 아
담과 그의 아내가 여호와 하나님의 낯
을 피하여 동산 나무 사이에 숨은지라
9 여호와 하나님이 아담을 부르시며 그
에게 이르시되 네가 어디 있느냐
10 이르되 내가 동산에서 하나님의 소리
를 듣고 내가 벗었으므로 두려워하여
숨었나이다
11 이르시되 누가 너의 벗었음을 네게 알
렸느냐 내가 네게 먹지 말라 명한 그
나무 열매를 네가 먹었느냐
12 아담이 이르되 하나님이 주셔서 나와
함께 있게 하신 여자 그가 그 나무 열
매를 내게 주므로 내가 먹었나이다
13 여호와 하나님이 여자에게 이르시되

4
5
6
7
8
9
10
11
12
13

네가 어찌하여 이렇게 하였느냐 여자
가 이르되 뱀이 나를 꾀므로 내가 먹었
나이다
14 여호와 하나님이 뱀에게 이르시되 네
가 이렇게 하였으니 네가 모든 가축과
들의 모든 짐승보다 더욱 저주를 받아
배로 다니고 살아 있는 동안 흙을 먹을
지니라
15 내가 너로 여자와 원수가 되게 하고 네
후손도 여자의 후손과 원수가 되게 하
리니 여자의 후손은 네 머리를 상하게
할 것이요 너는 그의 발꿈치를 상하게
할 것이니라 하시고
16 또 여자에게 이르시되 내가 네게 임신
하는 고통을 크게 더하리니 네가 수고
하고 자식을 낳을 것이며 너는 남편을
원하고 남편은 너를 다스릴 것이니라
하시고
17 아담에게 이르시되 네가 네 아내의 말
을 듣고 내가 네게 먹지 말라 한 나무
의 열매를 먹었은즉 땅은 너로 말미암
아 저주를 받고 너는 네 평생에 수고하
여야 그 소산을 먹으리라
18 땅이 네게 가시덤불과 엉겅퀴를 낼 것
이라 네가 먹을 것은 밭의 채소인즉
19 네가 흙으로 돌아갈 때까지 얼굴에 땀
을 흘려야 먹을 것을 먹으리니 네가 그
것에서 취함을 입었음이라 너는 흙이
니 흙으로 돌아갈 것이니라 하시니라
20 아담이 그의 아내의 이름을 하와라 불
렀으니 그는 모든 산 자의 어머니가 됨

14

15

16

17

18

19

20

이더라
21 여호와 하나님이 아담과 그의 아내를
위하여 가죽옷을 지어 입히시니라

아담과 하와를 쫓아내시다

22 ●여호와 하나님이 이르시되 보라 이
사람이 선악을 아는 일에 우리 중 하나
같이 되었으니 그가 그의 손을 들어 생
명 나무 열매도 따먹고 영생할까 하노
라 하시고
23 여호와 하나님이 에덴 동산에서 그를
내보내어 그의 근원이 된 땅을 갈게 하
시니라
24 이같이 하나님이 그 사람을 쫓아내시
고 에덴 동산 동쪽에 그룹들과 두루 도
는 불 칼을 두어 생명 나무의 길을 지
키게 하시니라

가인과 아벨

4 아담이 그의 아내 하와와 동침하매
하와가 임신하여 가인을 낳고 이르
되 내가 여호와로 말미암아 득남하였
다 하니라
2 그가 또 가인의 아우 아벨을 낳았는데
아벨은 양 치는 자였고 가인은 농사하
는 자였더라
3 세월이 지난 후에 가인은 땅의 소산으
로 제물을 삼아 여호와께 드렸고
4 아벨은 자기도 양의 첫 새끼와 그 기름
으로 드렸더니 여호와께서 아벨과 그
의 제물은 받으셨으나
5 가인과 그의 제물은 받지 아니하신지
라 가인이 몹시 분하여 안색이 변하니

21

아담과 하와를 쫓아내시다

22 ●

23

24

가인과 아벨

4

2

3

4

5

6 여호와께서 가인에게 이르시되 네가
분하여 함은 어찌 됨이며 안색이 변함
은 어찌 됨이냐
7 네가 선을 행하면 어찌 낯을 들지 못하
겠느냐 선을 행하지 아니하면 죄가 문
에 엎드려 있느니라 죄가 너를 원하나
너는 죄를 다스릴지니라
8 가인이 그의 아우 아벨에게 말하고 그
들이 들에 있을 때에 가인이 그의 아우
아벨을 쳐죽이니라
9 여호와께서 가인에게 이르시되 네 아
우 아벨이 어디 있느냐 그가 이르되 내
가 알지 못하나이다 내가 내 아우를 지
키는 자니이까
10 이르시되 네가 무엇을 하였느냐 네 아
우의 핏소리가 땅에서부터 내게 호소
하느니라
11 땅이 그 입을 벌려 네 손에서부터 네
아우의 피를 받았은즉 네가 땅에서 저
주를 받으리니
12 네가 밭을 갈아도 땅이 다시는 그 효력
을 네게 주지 아니할 것이요 너는 땅에
서 피하며 유리하는 자가 되리라
13 가인이 여호와께 아뢰되 내 죄벌이 지
기가 너무 무거우니이다
14 주께서 오늘 이 지면에서 나를 쫓아내
시온즉 내가 주의 낯을 뵈옵지 못하리
니 내가 땅에서 피하며 유리하는 자가
될지라 무릇 나를 만나는 자마다 나를
죽이겠나이다
15 여호와께서 그에게 이르시되 그렇지

6

7

8

9

10

11

12

13

14

15

아니하다 가인을 죽이는 자는 벌을 칠
배나 받으리라 하시고 가인에게 표를
주사 그를 만나는 모든 사람에게서 죽
임을 면하게 하시니라

가인의 자손

16 ●가인이 여호와 앞을 떠나서 에덴 동
쪽 놋 땅에 거주하더니
17 아내와 동침하매 그가 임신하여 에녹
을 낳은지라 가인이 성을 쌓고 그의 아
들의 이름으로 성을 이름하여 에녹이
라 하니라
18 에녹이 이랏을 낳고 이랏은 므후야엘
을 낳고 므후야엘은 므드사엘을 낳고
므드사엘은 라멕을 낳았더라
19 라멕이 두 아내를 맞이하였으니 하나
의 이름은 아다요 하나의 이름은 씰라
였더라
20 아다는 야발을 낳았으니 그는 장막에
거주하며 가축을 치는 자의 조상이 되
었고
21 그의 아우의 이름은 유발이니 그는 수
금과 퉁소를 잡는 모든 자의 조상이 되
었으며
22 씰라는 두발가인을 낳았으니 그는 구
리와 쇠로 여러 가지 기구를 만드는 자
요 두발가인의 누이는 나아마였더라
23 라멕이 아내들에게 이르되
아다와 씰라여 내 목소리를 들으라
라멕의 아내들이여 내 말을 들으라
나의 상처로 말미암아 내가 사람을
죽였고 나의 상함으로 말미암아 소

가인의 자손
16 ●
17
18
19
20
21
22
23

년을 죽였도다
24 가인을 위하여는 벌이 칠 배일진대
라멕을 위하여는 벌이 칠십칠 배이
리로다
하였더라

셋과 에노스

25 ●아담이 다시 자기 아내와 동침하매
그가 아들을 낳아 그의 이름을 셋이라
하였으니 이는 하나님이 내게 가인이
죽인 아벨 대신에 다른 씨를 주셨다 함
이며
26 셋도 아들을 낳고 그의 이름을 에노스
라 하였으며 그 때에 사람들이 비로소
여호와의 이름을 불렀더라

아담의 계보

5 이것은 아담의 계보를 적은 책이니
라 하나님이 사람을 창조하실 때에
하나님의 모양대로 지으시되
2 남자와 여자를 창조하셨고 그들이 창
조되던 날에 하나님이 그들에게 복을
주시고 그들의 이름을 사람이라 일컬
으셨더라
3 아담은 백삼십 세에 자기의 모양 곧 자
기의 형상과 같은 아들을 낳아 이름을
셋이라 하였고
4 아담은 셋을 낳은 후 팔백 년을 지내며
자녀들을 낳았으며
5 그는 구백삼십 세를 살고 죽었더라
6 ●셋은 백오 세에 에노스를 낳았고
7 에노스를 낳은 후 팔백칠 년을 지내며
자녀들을 낳았으며

24

셋과 에노스

25 ●

26

아담의 계보

5

2

3

4

5

6 ●

7

8 그는 구백십이 세를 살고 죽었더라
9 ●에노스는 구십 세에 게난을 낳았고
10 게난을 낳은 후 팔백십오 년을 지내며
자녀들을 낳았으며
11 그는 구백오 세를 살고 죽었더라
12 ●게난은 칠십 세에 마할랄렐을 낳았고
13 마할랄렐을 낳은 후 팔백사십 년을 지
내며 자녀들을 낳았으며
14 그는 구백십 세를 살고 죽었더라
15 ●마할랄렐은 육십오 세에 야렛을 낳
았고
16 야렛을 낳은 후 팔백삼십 년을 지내며
자녀를 낳았으며
17 그는 팔백구십오 세를 살고 죽었더라
18 ●야렛은 백육십이 세에 에녹을 낳았고
19 에녹을 낳은 후 팔백 년을 지내며 자녀
들을 낳았으며
20 그는 구백육십이 세를 살고 죽었더라
21 ●에녹은 육십오 세에 므두셀라를 낳
았고
22 므두셀라를 낳은 후 삼백 년을 하나님
과 동행하며 자녀들을 낳았으며
23 그는 삼백육십오 세를 살았더라
24 에녹이 하나님과 동행하더니 하나님이
그를 데려가시므로 세상에 있지 아니
하였더라
25 ●므두셀라는 백팔십칠 세에 라멕을
낳았고
26 라멕을 낳은 후 칠백팔십이 년을 지내
며 자녀를 낳았으며
27 그는 구백육십구 세를 살고 죽었더라

8
9 ●
10
11
12 ●
13
14
15 ●
16
17
18 ●
19
20
21 ●
22
23
24
25 ●
26
27

28 ●라멕은 백팔십이 세에 아들을 낳고
29 이름을 노아라 하여 이르되 여호와께
서 땅을 저주하시므로 수고롭게 일하
는 우리를 이 아들이 안위하리라 하였
더라
30 라멕은 노아를 낳은 후 오백구십오 년
을 지내며 자녀들을 낳았으며
31 그는 칠백칠십칠 세를 살고 죽었더라
32 ●노아는 오백 세 된 후에 셈과 함과
야벳을 낳았더라

사람의 죄악

6 사람이 땅 위에 번성하기 시작할 때
에 그들에게서 딸들이 나니
2 하나님의 아들들이 사람의 딸들의 아
름다움을 보고 자기들이 좋아하는 모
든 여자를 아내로 삼는지라
3 여호와께서 이르시되 나의 영이 영원
히 사람과 함께 하지 아니하리니 이는
그들이 육신이 됨이라 그러나 그들의
날은 백이십 년이 되리라 하시니라
4 당시에 땅에는 네피림이 있었고 그 후
에도 하나님의 아들들이 사람의 딸들
에게로 들어와 자식을 낳았으니 그들
은 용사라 고대에 명성이 있는 사람들
이었더라
5 ●여호와께서 사람의 죄악이 세상에
가득함과 그의 마음으로 생각하는 모
든 계획이 항상 악할 뿐임을 보시고
6 땅 위에 사람 지으셨음을 한탄하사 마
음에 근심하시고
7 이르시되 내가 창조한 사람을 내가 지

28 ●
29
30
31
32 ●

사람의 죄악

6
2
3
4
5 ●
6
7

면에서 쓸어버리되 사람으로부터 가축
과 기는 것과 공중의 새까지 그리하리
니 이는 내가 그것들을 지었음을 한탄
함이니라 하시니라
8 그러나 노아는 여호와께 은혜를 입었
더라

노아의 족보

9 ●이것이 노아의 족보니라 노아는 의
인이요 당대에 완전한 자라 그는 하나
님과 동행하였으며
10 세 아들을 낳았으니 셈과 함과 야벳이라
11 그 때에 온 땅이 하나님 앞에 부패하여
포악함이 땅에 가득한지라
12 하나님이 보신즉 땅이 부패하였으니
이는 땅에서 모든 혈육 있는 자의 행위
가 부패함이었더라
13 ●하나님이 노아에게 이르시되 모든
혈육 있는 자의 포악함이 땅에 가득하
므로 그 끝 날이 내 앞에 이르렀으니
내가 그들을 땅과 함께 멸하리라
14 너는 고페르 나무로 너를 위하여 방주
를 만들되 그 안에 칸들을 막고 역청을
그 안팎에 칠하라
15 네가 만들 방주는 이러하니 그 길이는
삼백 규빗, 너비는 오십 규빗, 높이는
삼십 규빗이라
16 거기에 창을 내되 위에서부터 한 규빗
에 내고 그 문은 옆으로 내고 상 중 하
삼층으로 할지니라
17 내가 홍수를 땅에 일으켜 무릇 생명의
기운이 있는 모든 육체를 천하에서 멸

8

노아의 족보

9 ●

10

11

12

13 ●

14

15

16

17

절하리니 땅에 있는 것들이 다 죽으리
라
18 그러나 너와는 내가 내 언약을 세우리
니 너는 네 아들들과 네 아내와 네 며
느리들과 함께 그 방주로 들어가고
19 혈육 있는 모든 생물을 너는 각기 암수
한 쌍씩 방주로 이끌어들여 너와 함께
생명을 보존하게 하되
20 새가 그 종류대로, 가축이 그 종류대
로, 땅에 기는 모든 것이 그 종류대로
각기 둘씩 네게로 나아오리니 그 생명
을 보존하게 하라
21 너는 먹을 모든 양식을 네게로 가져다
가 저축하라 이것이 너와 그들의 먹을
것이 되리라
22 노아가 그와 같이 하여 하나님이 자기
에게 명하신 대로 다 준행하였더라

홍수

7 여호와께서 노아에게 이르시되 너와
네 온 집은 방주로 들어가라 이 세대
에서 네가 내 앞에 의로움을 내가 보았
음이니라
2 너는 모든 정결한 짐승은 암수 일곱씩,
부정한 것은 암수 둘씩을 네게로 데려
오며
3 공중의 새도 암수 일곱씩을 데려와 그
씨를 온 지면에 유전하게 하라
4 지금부터 칠 일이면 내가 사십 주야를
땅에 비를 내려 내가 지은 모든 생물을
지면에서 쓸어버리리라
5 노아가 여호와께서 자기에게 명하신

18

19

20

21

22

홍수

7

2

3

4

5

대로 다 준행하였더라
6 ●홍수가 땅에 있을 때에 노아가 육백
세라
7 노아는 아들들과 아내와 며느리들과
함께 홍수를 피하여 방주에 들어갔고
8 정결한 짐승과 부정한 짐승과 새와 땅
에 기는 모든 것은
9 하나님이 노아에게 명하신 대로 암수
둘씩 노아에게 나아와 방주로 들어갔
으며
10 칠 일 후에 홍수가 땅에 덮이니
11 노아가 육백 세 되던 해 둘째 달 곧 그
달 열이렛날이라 그 날에 큰 깊음의 샘
들이 터지며 하늘의 창문들이 열려
12 사십 주야를 비가 땅에 쏟아졌더라
13 ●곧 그 날에 노아와 그의 아들 셈, 함,
야벳과 노아의 아내와 세 며느리가 다
방주로 들어갔고
14 그들과 모든 들짐승이 그 종류대로, 모
든 가축이 그 종류대로, 땅에 기는 모
든 것이 그 종류대로, 모든 새가 그 종
류대로
15 무릇 생명의 기운이 있는 육체가 둘씩
노아에게 나아와 방주로 들어갔으니
16 들어간 것들은 모든 것의 암수라 하나
님이 그에게 명하신 대로 들어가매 여
호와께서 그를 들여보내고 문을 닫으
시니라
17 홍수가 땅에 사십 일 동안 계속된지라
물이 많아져 방주가 땅에서 떠올랐고
18 물이 더 많아져 땅에 넘치매 방주가 물

6 ●
7
8
9
10
11
12
13 ●
14
15
16
17
18

위에 떠 다녔으며
19 물이 땅에 더욱 넘치매 천하의 높은 산
이 다 잠겼더니
20 물이 불어서 십오 규빗이나 오르니 산
들이 잠긴지라
21 땅 위에 움직이는 생물이 다 죽었으니
곧 새와 가축과 들짐승과 땅에 기는 모
든 것과 모든 사람이라
22 육지에 있어 그 코에 생명의 기운의 숨
이 있는 것은 다 죽었더라
23 지면의 모든 생물을 쓸어버리시니 곧
사람과 가축과 기는 것과 공중의 새까
지라 이들은 땅에서 쓸어버림을 당하
였으되 오직 노아와 그와 함께 방주에
있던 자들만 남았더라
24 물이 백오십 일을 땅에 넘쳤더라

홍수가 그치다

8 하나님이 노아와 그와 함께 방주에
있는 모든 들짐승과 가축을 기억하
사 하나님이 바람을 땅 위에 불게 하시
매 물이 줄어들었고
2 깊음의 샘과 하늘의 창문이 닫히고 하
늘에서 비가 그치매
3 물이 땅에서 물러가고 점점 물러가서
백오십 일 후에 줄어들고
4 일곱째 달 곧 그 달 열이렛날에 방주가
아라랏 산에 머물렀으며
5 물이 점점 줄어들어 열째 달 곧 그 달
초하룻날에 산들의 봉우리가 보였더라
6 ●사십 일을 지나서 노아가 그 방주에
낸 창문을 열고

19
20
21
22
23
24
홍수가 그치다
8
2
3
4
5
6 ●

7 까마귀를 내놓으매 까마귀가 물이 땅
에서 마르기까지 날아 왕래하였더라
8 그가 또 비둘기를 내놓아 지면에서 물
이 줄어들었는지를 알고자 하매
9 온 지면에 물이 있으므로 비둘기가 발
붙일 곳을 찾지 못하고 방주로 돌아와
그에게로 오는지라 그가 손을 내밀어
방주 안 자기에게로 받아들이고
10 또 칠 일을 기다려 다시 비둘기를 방주
에서 내놓으매
11 저녁때에 비둘기가 그에게로 돌아왔는
데 그 입에 감람나무 새 잎사귀가 있는
지라 이에 노아가 땅에 물이 줄어든 줄
을 알았으며
12 또 칠 일을 기다려 비둘기를 내놓으매
다시는 그에게로 돌아오지 아니하였더
라
13 ●육백일 년 첫째 달 곧 그 달 초하룻
날에 땅 위에서 물이 걷힌지라 노아가
방주 뚜껑을 제치고 본즉 지면에서 물
이 걷혔더니
14 둘째 달 스무이렛날에 땅이 말랐더라
15 하나님이 노아에게 말씀하여 이르시되
16 너는 네 아내와 네 아들들과 네 며느리
들과 함께 방주에서 나오고
17 너와 함께 한 모든 혈육 있는 생물 곧
새와 가축과 땅에 기는 모든 것을 다
이끌어내라 이것들이 땅에서 생육하고
땅에서 번성하리라 하시매
18 노아가 그 아들들과 그의 아내와 그 며
느리들과 함께 나왔고

7
8
9
10
11
12
13 ●
14
15
16
17
18

19 땅 위의 동물 곧 모든 짐승과 모든 기
는 것과 모든 새도 그 종류대로 방주에
서 나왔더라

노아가 번제를 드리다

20 ●노아가 여호와께 제단을 쌓고 모든
정결한 짐승과 모든 정결한 새 중에서
제물을 취하여 번제로 제단에 드렸더
니
21 여호와께서 그 향기를 받으시고 그 중
심에 이르시되 내가 다시는 사람으로
말미암아 땅을 저주하지 아니하리니
이는 사람의 마음이 계획하는 바가 어
려서부터 악함이라 내가 전에 행한 것
같이 모든 생물을 다시 멸하지 아니하
리니
22 땅이 있을 동안에는 심음과 거둠과 추
위와 더위와 여름과 겨울과 낮과 밤이
쉬지 아니하리라

하나님이 노아와 언약을 세우시다

9 하나님이 노아와 그 아들들에게 복
을 주시며 그들에게 이르시되 생육
하고 번성하여 땅에 충만하라
2 땅의 모든 짐승과 공중의 모든 새와 땅
에 기는 모든 것과 바다의 모든 물고기
가 너희를 두려워하며 너희를 무서워
하리니 이것들은 너희의 손에 붙였음
이니라
3 모든 산 동물은 너희의 먹을 것이 될지
라 채소 같이 내가 이것을 다 너희에게
주노라
4 그러나 고기를 그 생명 되는 피째 먹지

19

노아가 번제를 드리다

20 ●

21

22

하나님이 노아와 언약을 세우시다

9

2

3

4

말 것이니라
5 내가 반드시 너희의 피 곧 너희의 생명
의 피를 찾으리니 짐승이면 그 짐승에
게서, 사람이나 사람의 형제면 그에게
서 그의 생명을 찾으리라
6 다른 사람의 피를 흘리면 그 사람의 피
도 흘릴 것이니 이는 하나님이 자기 형
상대로 사람을 지으셨음이니라
7 너희는 생육하고 번성하며 땅에 가득
하여 그 중에서 번성하라 하셨더라
8 ●하나님이 노아와 그와 함께 한 아들
들에게 말씀하여 이르시되
9 내가 내 언약을 너희와 너희 후손과
10 너희와 함께 한 모든 생물 곧 너희와
함께 한 새와 가축과 땅의 모든 생물에
게 세우리니 방주에서 나온 모든 것 곧
땅의 모든 짐승에게니라
11 내가 너희와 언약을 세우리니 다시는
모든 생물을 홍수로 멸하지 아니할 것
이라 땅을 멸할 홍수가 다시 있지 아니
하리라
12 하나님이 이르시되 내가 나와 너희와
및 너희와 함께 하는 모든 생물 사이에
대대로 영원히 세우는 언약의 증거는
이것이니라
13 내가 내 무지개를 구름 속에 두었나니
이것이 나와 세상 사이의 언약의 증거
니라
14 내가 구름으로 땅을 덮을 때에 무지개
가 구름 속에 나타나면
15 내가 나와 너희와 및 육체를 가진 모든

5

6

7

8 ●

9

10

11

12

13

14

15

생물 사이의 내 언약을 기억하리니 다
시는 물이 모든 육체를 멸하는 홍수가
되지 아니할지라
16 무지개가 구름 사이에 있으리니 내가
보고 나 하나님과 모든 육체를 가진 땅
의 모든 생물 사이의 영원한 언약을 기
억하리라
17 하나님이 노아에게 또 이르시되 내가
나와 땅에 있는 모든 생물 사이에 세운
언약의 증거가 이것이라 하셨더라

노아와 그 아들들

18 ●방주에서 나온 노아의 아들들은 셈
과 함과 야벳이며 함은 가나안의 아버
지라
19 노아의 이 세 아들로부터 사람들이 온
땅에 퍼지니라
20 ●노아가 농사를 시작하여 포도나무를
심었더니
21 포도주를 마시고 취하여 그 장막 안에
서 벌거벗은지라
22 가나안의 아버지 함이 그의 아버지의
하체를 보고 밖으로 나가서 그의 두 형
제에게 알리매
23 셈과 야벳이 옷을 가져다가 자기들의
어깨에 메고 뒷걸음쳐 들어가서 그들
의 아버지의 하체를 덮었으며 그들이
얼굴을 돌이키고 그들의 아버지의 하
체를 보지 아니하였더라
24 노아가 술이 깨어 그의 작은 아들이 자
기에게 행한 일을 알고
25 이에 이르되

16

17

노아와 그 아들들

18 ●

19

20 ●

21

22

23

24

25

가나안은 저주를 받아 그의 형제의
종들의 종이 되기를 원하노라
하고
26 또 이르되
셈의 하나님 여호와를 찬송하리로다
가나안은 셈의 종이 되고
27 하나님이 야벳을 창대하게 하사 셈
의 장막에 거하게 하시고 가나안은
그의 종이 되게 하시기를 원하노라
하였더라
28 ●홍수 후에 노아가 삼백오십 년을 살
았고
29 그의 나이가 구백오십 세가 되어 죽었
더라

노아의 아들들의 족보

10 노아의 아들 셈과 함과 야벳의
족보는 이러하니라 홍수 후에 그
들이 아들들을 낳았으니
2 야벳의 아들은 고멜과 마곡과 마대와
야완과 두발과 메섹과 디라스요
3 고멜의 아들은 아스그나스와 리밧과
도갈마요
4 야완의 아들은 엘리사와 달시스와 깃
딤과 도다님이라
5 이들로부터 여러 나라 백성으로 나뉘
어서 각기 언어와 종족과 나라대로 바
닷가의 땅에 머물렀더라
6 ●함의 아들은 구스와 미스라임과 붓
과 가나안이요
7 구스의 아들은 스바와 하윌라와 삽다
와 라아마와 삽드가요 라아마의 아들

26
27
28 ●
29

노아의 아들들의 족보

10
2
3
4
5
6 ●
7

은 스바와 드단이며
8 구스가 또 니므롯을 낳았으니 그는 세
상에 첫 용사라
9 그가 여호와 앞에서 용감한 사냥꾼이
되었으므로 속담에 이르기를 아무는
여호와 앞에 니므롯 같이 용감한 사냥
꾼이로다 하더라
10 그의 나라는 시날 땅의 바벨과 에렉과
악갓과 갈레에서 시작되었으며
11 그가 그 땅에서 앗수르로 나아가 니느
웨와 르호보딜과 갈라와
12 및 니느웨와 갈라 사이의 레센을 건설
하였으니 이는 큰 성읍이라
13 미스라임은 루딤과 아나밈과 르하빔과
납두힘과
14 바드루심과 가슬루힘과 갑도림을 낳았
더라 (가슬루힘에게서 블레셋이 나왔
더라)
15 ●가나안은 장자 시돈과 헷을 낳고
16 또 여부스 족속과 아모리 족속과 기르
가스 족속과
17 히위 족속과 알가 족속과 신 족속과
18 아르왓 족속과 스말 족속과 하맛 족속
을 낳았더니 이 후로 가나안 자손의 족
속이 흩어져 나아갔더라
19 가나안의 경계는 시돈에서부터 그랄을
지나 가사까지와 소돔과 고모라와 아
드마와 스보임을 지나 라사까지였더라
20 이들은 함의 자손이라 각기 족속과 언
어와 지방과 나라대로였더라
21 ●셈은 에벨 온 자손의 조상이요 야벳

8

9

10

11

12

13

14

15 ●

16

17

18

19

20

21 ●

의 형이라 그에게도 자녀가 출생하였
으니
22 셈의 아들은 엘람과 앗수르와 아르박
삿과 룻과 아람이요
23 아람의 아들은 우스와 훌과 게델과 마
스며
24 아르박삿은 셀라를 낳고 셀라는 에벨
을 낳았으며
25 에벨은 두 아들을 낳고 하나의 이름을
벨렉이라 하였으니 그 때에 세상이 나
뉘었음이요 벨렉의 아우의 이름은 욕
단이며
26 욕단은 알모닷과 셀렙과 하살마웻과
예라와
27 하도람과 우살과 디글라와
28 오발과 아비마엘과 스바와
29 오빌과 하윌라와 요밥을 낳았으니 이
들은 다 욕단의 아들이며
30 그들이 거주하는 곳은 메사에서부터
스발로 가는 길의 동쪽 산이었더라
31 이들은 셈의 자손이니 그 족속과 언어
와 지방과 나라대로였더라
32 ●이들은 그 백성들의 족보에 따르면
노아 자손의 족속들이요 홍수 후에 이
들에게서 그 땅의 백성들이 나뉘었더라

바벨

11 온 땅의 언어가 하나요 말이 하나
였더라
2 이에 그들이 동방으로 옮기다가 시날
평지를 만나 거기 거류하며
3 서로 말하되 자, 벽돌을 만들어 견고히

22
23
24
25
26
27
28
29
30
31
32 ●

바벨

11
2
3

굽자 하고 이에 벽돌로 돌을 대신하며
역청으로 진흙을 대신하고
4 또 말하되 자, 성읍과 탑을 건설하여
그 탑 꼭대기를 하늘에 닿게 하여 우리
이름을 내고 온 지면에 흩어짐을 면하
자 하였더니
5 여호와께서 사람들이 건설하는 그 성
읍과 탑을 보려고 내려오셨더라
6 여호와께서 이르시되 이 무리가 한 족
속이요 언어도 하나이므로 이같이 시
작하였으니 이 후로는 그 하고자 하는
일을 막을 수 없으리로다
7 자, 우리가 내려가서 거기서 그들의 언
어를 혼잡하게 하여 그들이 서로 알아
듣지 못하게 하자 하시고
8 여호와께서 거기서 그들을 온 지면에
흩으셨으므로 그들이 그 도시를 건설
하기를 그쳤더라
9 그러므로 그 이름을 바벨이라 하니 이
는 여호와께서 거기서 온 땅의 언어를
혼잡하게 하셨음이니라 여호와께서 거
기서 그들을 온 지면에 흩으셨더라

셈의 족보

10 ●셈의 족보는 이러하니라 셈은 백 세
곧 홍수 후 이 년에 아르박삿을 낳았고
11 아르박삿을 낳은 후에 오백 년을 지내
며 자녀를 낳았으며
12 아르박삿은 삼십오 세에 셀라를 낳았고
13 셀라를 낳은 후에 사백삼 년을 지내며
자녀를 낳았으며
14 셀라는 삼십 세에 에벨을 낳았고

4

5

6

7

8

9

셈의 족보

10 ●

11

12

13

14

15 에벨을 낳은 후에 사백삼 년을 지내며
자녀를 낳았으며
16 에벨은 삼십사 세에 벨렉을 낳았고
17 벨렉을 낳은 후에 사백삼십 년을 지내
며 자녀를 낳았으며
18 벨렉은 삼십 세에 르우를 낳았고
19 르우를 낳은 후에 이백구 년을 지내며
자녀를 낳았으며
20 르우는 삼십이 세에 스룩을 낳았고
21 스룩을 낳은 후에 이백칠 년을 지내며
자녀를 낳았으며
22 스룩은 삼십 세에 나홀을 낳았고
23 나홀을 낳은 후에 이백 년을 지내며 자
녀를 낳았으며
24 나홀은 이십구 세에 데라를 낳았고
25 데라를 낳은 후에 백십구 년을 지내며
자녀를 낳았으며
26 데라는 칠십 세에 아브람과 나홀과 하
란을 낳았더라

데라의 족보

27 ● 데라의 족보는 이러하니라 데라는
아브람과 나홀과 하란을 낳고 하란은
롯을 낳았으며
28 하란은 그 아비 데라보다 먼저 고향 갈
대아인의 우르에서 죽었더라
29 아브람과 나홀이 장가 들었으니 아브
람의 아내의 이름은 사래며 나홀의 아
내의 이름은 밀가니 하란의 딸이요 하
란은 밀가의 아버지이며 또 이스가의
아버지더라
30 사래는 임신하지 못하므로 자식이 없

15
16
17
18
19
20
21
22
23
24
25
26

데라의 족보

27 ●
28
29
30

었더라
31 데라가 그 아들 아브람과 하란의 아들
인 그의 손자 롯과 그의 며느리 아브람
의 아내 사래를 데리고 갈대아인의 우
르를 떠나 가나안 땅으로 가고자 하더
니 하란에 이르러 거기 거류하였으며
32 데라는 나이가 이백오 세가 되어 하란
에서 죽었더라

여호와께서 아브람에게 이르시다

12 여호와께서 아브람에게 이르시
되 너는 너의 고향과 친척과 아
버지의 집을 떠나 내가 네게 보여 줄
땅으로 가라
2 내가 너로 큰 민족을 이루고 네게 복을
주어 네 이름을 창대하게 하리니 너는
복이 될지라
3 너를 축복하는 자에게는 내가 복을 내
리고 너를 저주하는 자에게는 내가 저
주하리니 땅의 모든 족속이 너로 말미
암아 복을 얻을 것이라 하신지라
4 이에 아브람이 여호와의 말씀을 따라
갔고 롯도 그와 함께 갔으며 아브람이
하란을 떠날 때에 칠십오 세였더라
5 아브람이 그의 아내 사래와 조카 롯과
하란에서 모은 모든 소유와 얻은 사람
들을 이끌고 가나안 땅으로 가려고 떠
나서 마침내 가나안 땅에 들어갔더라
6 아브람이 그 땅을 지나 세겜 땅 모레
상수리나무에 이르니 그 때에 가나안
사람이 그 땅에 거주하였더라
7 여호와께서 아브람에게 나타나 이르시

31
32
여호와께서 아브람에게 이르시다
12
2
3
4
5
6
7

되 내가 이 땅을 네 자손에게 주리라
하신지라 자기에게 나타나신 여호와께
그가 그 곳에서 제단을 쌓고
8 거기서 벧엘 동쪽 산으로 옮겨 장막을
치니 서쪽은 벧엘이요 동쪽은 아이라
그가 그 곳에서 여호와께 제단을 쌓고
여호와의 이름을 부르더니
9 점점 남방으로 옮겨갔더라

아브람이 애굽으로 내려가다

10 ●그 땅에 기근이 들었으므로 아브람이
애굽에 거류하려고 그리로 내려갔으니
이는 그 땅에 기근이 심하였음이라
11 그가 애굽에 가까이 이르렀을 때에 그
의 아내 사래에게 말하되 내가 알기에
그대는 아리따운 여인이라
12 애굽 사람이 그대를 볼 때에 이르기를
이는 그의 아내라 하여 나는 죽이고 그
대는 살리리니
13 원하건대 그대는 나의 누이라 하라 그
러면 내가 그대로 말미암아 안전하고
내 목숨이 그대로 말미암아 보존되리
라 하니라
14 아브람이 애굽에 이르렀을 때에 애굽
사람들이 그 여인이 심히 아리따움을
보았고
15 바로의 고관들도 그를 보고 바로 앞에
서 칭찬하므로 그 여인을 바로의 궁으
로 이끌어들인지라
16 이에 바로가 그로 말미암아 아브람을
후대하므로 아브람이 양과 소와 노비
와 암수 나귀와 낙타를 얻었더라

8

9

아브람이 애굽으로 내려가다

10 ●

11

12

13

14

15

16

17 여호와께서 아브람의 아내 사래의 일
로 바로와 그 집에 큰 재앙을 내리신지
라
18 바로가 아브람을 불러서 이르되 네가
어찌하여 나에게 이렇게 행하였느냐
네가 어찌하여 그를 네 아내라고 내게
말하지 아니하였느냐
19 네가 어찌 그를 누이라 하여 내가 그를
데려다가 아내를 삼게 하였느냐 네 아
내가 여기 있으니 이제 데려가라 하고
20 바로가 사람들에게 그의 일을 명하매
그들이 그와 함께 그의 아내와 그의 모
든 소유를 보내었더라

아브람과 롯이 서로 떠나다

13 아브람이 애굽에서 그와 그의 아
내와 모든 소유와 롯과 함께 네
게브로 올라가니
2 아브람에게 가축과 은과 금이 풍부하
였더라
3 그가 네게브에서부터 길을 떠나 벧엘
에 이르며 벧엘과 아이 사이 곧 전에
장막 쳤던 곳에 이르니
4 그가 처음으로 제단을 쌓은 곳이라 그
가 거기서 여호와의 이름을 불렀더라
5 아브람의 일행 롯도 양과 소와 장막이
있으므로
6 그 땅이 그들이 동거하기에 넉넉하지
못하였으니 이는 그들의 소유가 많아
서 동거할 수 없었음이니라
7 그러므로 아브람의 가축의 목자와 롯
의 가축의 목자가 서로 다투고 또 가나

17

18

19

20

아브람과 롯이 서로 떠나다

13

2

3

4

5

6

7

안 사람과 브리스 사람도 그 땅에 거주
하였는지라
8 아브람이 롯에게 이르되 우리는 한 친
족이라 나나 너나 내 목자나 네 목자나
서로 다투게 하지 말자
9 네 앞에 온 땅이 있지 아니하냐 나를
떠나가라 네가 좌하면 나는 우하고 네
가 우하면 나는 좌하리라
10 이에 롯이 눈을 들어 요단 지역을 바라
본즉 소알까지 온 땅에 물이 넉넉하니
여호와께서 소돔과 고모라를 멸하시기
전이었으므로 여호와의 동산 같고 애
굽 땅과 같았더라
11 그러므로 롯이 요단 온 지역을 택하고
동으로 옮기니 그들이 서로 떠난지라
12 아브람은 가나안 땅에 거주하였고 롯
은 그 지역의 도시들에 머무르며 그 장
막을 옮겨 소돔까지 이르렀더라
13 소돔 사람은 여호와 앞에 악하며 큰 죄
인이었더라

아브람이 헤브론으로 옮기다

14 ●롯이 아브람을 떠난 후에 여호와께
서 아브람에게 이르시되 너는 눈을 들
어 너 있는 곳에서 북쪽과 남쪽 그리고
동쪽과 서쪽을 바라보라
15 보이는 땅을 내가 너와 네 자손에게 주
리니 영원히 이르리라
16 내가 네 자손이 땅의 티끌 같게 하리니
사람이 땅의 티끌을 능히 셀 수 있을진
대 네 자손도 세리라
17 너는 일어나 그 땅을 종과 횡으로 두루

8

9

10

11

12

13

아브람이 헤브론으로 옮기다

14 ●

15

16

17

다녀 보라 내가 그것을 네게 주리라
18 이에 아브람이 장막을 옮겨 헤브론에
있는 마므레 상수리 수풀에 이르러 거
주하며 거기서 여호와를 위하여 제단
을 쌓았더라

아브람이 롯을 구하다

14 당시에 시날 왕 아므라벨과 엘라
살 왕 아리옥과 엘람 왕 그돌라
오멜과 고임 왕 디달이
2 소돔 왕 베라와 고모라 왕 비르사와 아
드마 왕 시납과 스보임 왕 세메벨과 벨
라 곧 소알 왕과 싸우니라
3 이들이 다 싯딤 골짜기 곧 지금의 염해
에 모였더라
4 이들이 십이 년 동안 그돌라오멜을 섬
기다가 제십삼년에 배반한지라
5 제십사년에 그돌라오멜과 그와 함께
한 왕들이 나와서 아스드롯 가르나임
에서 르바 족속을, 함에서 수스 족속
을, 사웨 기랴다임에서 엠 족속을 치고
6 호리 족속을 그 산 세일에서 쳐서 광야
근방 엘바란까지 이르렀으며
7 그들이 돌이켜 엔미스밧 곧 가데스에
이르러 아말렉 족속의 온 땅과 하사손
다말에 사는 아모리 족속을 친지라
8 소돔 왕과 고모라 왕과 아드마 왕과 스
보임 왕과 벨라 곧 소알 왕이 나와서
싯딤 골짜기에서 그들과 전쟁을 하기
위하여 진을 쳤더니
9 엘람 왕 그돌라오멜과 고임 왕 디달과
시날 왕 아므라벨과 엘라살 왕 아리옥

18

아브람이 롯을 구하다

14

2

3

4

5

6

7

8

9

네 왕이 곧 그 다섯 왕과 맞서니라
10 싯딤 골짜기에는 역청 구덩이가 많은
지라 소돔 왕과 고모라 왕이 달아날 때
에 그들이 거기 빠지고 그 나머지는 산
으로 도망하매
11 네 왕이 소돔과 고모라의 모든 재물과
양식을 빼앗아 가고
12 소돔에 거주하는 아브람의 조카 롯도
사로잡고 그 재물까지 노략하여 갔더
라
13 ●도망한 자가 와서 히브리 사람 아브
람에게 알리니 그 때에 아브람이 아모
리 족속 마므레의 상수리 수풀 근처에
거주하였더라 마므레는 에스골의 형제
요 또 아넬의 형제라 이들은 아브람과
동맹한 사람들이더라
14 아브람이 그의 조카가 사로잡혔음을
듣고 집에서 길리고 훈련된 자 삼백십
팔 명을 거느리고 단까지 쫓아가서
15 그와 그의 가신들이 나뉘어 밤에 그들
을 쳐부수고 다메섹 왼편 호바까지 쫓
아가
16 모든 빼앗겼던 재물과 자기의 조카 롯
과 그의 재물과 또 부녀와 친척을 다
찾아왔더라

멜기세덱이 아브람에게 축복하다

17 ●아브람이 그돌라오멜과 그와 함께
한 왕들을 쳐부수고 돌아올 때에 소돔
왕이 사웨 골짜기 곧 왕의 골짜기로 나
와 그를 영접하였고
18 살렘 왕 멜기세덱이 떡과 포도주를 가

10

11

12

13 ●

14

15

16

멜기세덱이 아브람에게 축복하다

17 ●

18

지고 나왔으니 그는 지극히 높으신 하
나님의 제사장이었더라
19 그가 아브람에게 축복하여 이르되 천
지의 주재이시요 지극히 높으신 하나
님이여 아브람에게 복을 주옵소서
20 너희 대적을 네 손에 붙이신 지극히 높
으신 하나님을 찬송할지로다 하매 아
브람이 그 얻은 것에서 십분의 일을 멜
기세덱에게 주었더라
21 소돔 왕이 아브람에게 이르되 사람은
내게 보내고 물품은 네가 가지라
22 아브람이 소돔 왕에게 이르되 천지의
주재이시요 지극히 높으신 하나님 여
호와께 내가 손을 들어 맹세하노니
23 네 말이 내가 아브람으로 치부하게 하
였다 할까 하여 네게 속한 것은 실 한
오라기나 들메끈 한 가닥도 내가 가지
지 아니하리라
24 오직 젊은이들이 먹은 것과 나와 동행
한 아넬과 에스골과 마므레의 분깃을
제할지니 그들이 그 분깃을 가질 것이
니라

여호와께서 아브람과 언약을 세우시다

15 이 후에 여호와의 말씀이 환상
중에 아브람에게 임하여 이르시
되 아브람아 두려워하지 말라 나는 네
방패요 너의 지극히 큰 상급이니라
2 아브람이 이르되 주 여호와여 무엇을
내게 주시려 하나이까 나는 자식이 없
사오니 나의 상속자는 이 다메섹 사람
엘리에셀이니이다

여호와께서 아브람과 언약을 세우시다

3 아브람이 또 이르되 주께서 내게 씨를
주지 아니하셨으니 내 집에서 길린 자
가 내 상속자가 될 것이니이다
4 여호와의 말씀이 그에게 임하여 이르
시되 그 사람이 네 상속자가 아니라 네
몸에서 날 자가 네 상속자가 되리라 하
시고
5 그를 이끌고 밖으로 나가 이르시되 하
늘을 우러러 뭇별을 셀 수 있나 보라
또 그에게 이르시되 네 자손이 이와 같
으리라
6 아브람이 여호와를 믿으니 여호와께서
이를 그의 의로 여기시고
7 또 그에게 이르시되 나는 이 땅을 네게
주어 소유를 삼게 하려고 너를 갈대아
인의 우르에서 이끌어 낸 여호와니라
8 그가 이르되 주 여호와여 내가 이 땅을
소유로 받을 것을 무엇으로 알리이까
9 여호와께서 그에게 이르시되 나를 위
하여 삼 년 된 암소와 삼 년 된 암염소
와 삼 년 된 숫양과 산비둘기와 집비둘
기 새끼를 가져올지니라
10 아브람이 그 모든 것을 가져다가 그 중
간을 쪼개고 그 쪼갠 것을 마주 대하여
놓고 그 새는 쪼개지 아니하였으며
11 솔개가 그 사체 위에 내릴 때에는 아브
람이 쫓았더라
12 ●해 질 때에 아브람에게 깊은 잠이 임
하고 큰 흑암과 두려움이 그에게 임하
였더니
13 여호와께서 아브람에게 이르시되 너는

3

4

5

6

7

8

9

10

11

12 ●

13

반드시 알라 네 자손이 이방에서 객이
되어 그들을 섬기겠고 그들은 사백 년
동안 네 자손을 괴롭히리니
14 그들이 섬기는 나라를 내가 징벌할지
며 그 후에 네 자손이 큰 재물을 이끌
고 나오리라
15 너는 장수하다가 평안히 조상에게로
돌아가 장사될 것이요
16 네 자손은 사대 만에 이 땅으로 돌아오
리니 이는 아모리 족속의 죄악이 아직
가득 차지 아니함이니라 하시더니
17 해가 져서 어두울 때에 연기 나는 화로
가 보이며 타는 횃불이 쪼갠 고기 사이
로 지나더라
18 그 날에 여호와께서 아브람과 더불어
언약을 세워 이르시되 내가 이 땅을 애
굽 강에서부터 그 큰 강 유브라데까지
네 자손에게 주노니
19 곧 겐 족속과 그니스 족속과 갓몬 족속
과
20 헷 족속과 브리스 족속과 르바 족속과
21 아모리 족속과 가나안 족속과 기르가
스 족속과 여부스 족속의 땅이니라 하
셨더라

하갈과 이스마엘

16 아브람의 아내 사래는 출산하지
못하였고 그에게 한 여종이 있으
니 애굽 사람이요 이름은 하갈이라
2 사래가 아브람에게 이르되 여호와께서
내 출산을 허락하지 아니하셨으니 원
하건대 내 여종에게 들어가라 내가 혹

14

15

16

17

18

19

20

21

하갈과 이스마엘

16

2

그로 말미암아 자녀를 얻을까 하노라
하매 아브람이 사래의 말을 들으니라
3 아브람의 아내 사래가 그 여종 애굽 사
람 하갈을 데려다가 그 남편 아브람에
게 첩으로 준 때는 아브람이 가나안 땅
에 거주한 지 십 년 후였더라
4 아브람이 하갈과 동침하였더니 하갈이
임신하매 그가 자기의 임신함을 알고
그의 여주인을 멸시한지라
5 사래가 아브람에게 이르되 내가 받는
모욕은 당신이 받아야 옳도다 내가 나
의 여종을 당신의 품에 두었거늘 그가
자기의 임신함을 알고 나를 멸시하니
당신과 나 사이에 여호와께서 판단하
시기를 원하노라
6 아브람이 사래에게 이르되 당신의 여
종은 당신의 수중에 있으니 당신의 눈
에 좋을 대로 그에게 행하라 하매 사래
가 하갈을 학대하였더니 하갈이 사래
앞에서 도망하였더라
7 여호와의 사자가 광야의 샘물 곁 곧 술
길 샘 곁에서 그를 만나
8 이르되 사래의 여종 하갈아 네가 어디
서 왔으며 어디로 가느냐 그가 이르되
나는 내 여주인 사래를 피하여 도망하
나이다
9 여호와의 사자가 그에게 이르되 네 여
주인에게로 돌아가서 그 수하에 복종
하라
10 여호와의 사자가 또 그에게 이르되 내
가 네 씨를 크게 번성하여 그 수가 많

3

4

5

6

7

8

9

10

아 셀 수 없게 하리라
11 여호와의 사자가 또 그에게 이르되 네
가 임신하였은즉 아들을 낳으리니 그
이름을 이스마엘이라 하라 이는 여호
와께서 네 고통을 들으셨음이니라
12 그가 사람 중에 들나귀 같이 되리니 그
의 손이 모든 사람을 치겠고 모든 사람
의 손이 그를 칠지며 그가 모든 형제와
대항해서 살리라 하니라
13 하갈이 자기에게 이르신 여호와의 이
름을 나를 살피시는 하나님이라 하였
으니 이는 내가 어떻게 여기서 나를 살
피시는 하나님을 뵈었는고 함이라
14 이러므로 그 샘을 브엘라해로이라 불
렀으며 그것은 가데스와 베렛 사이에
있더라
15 ●하갈이 아브람의 아들을 낳으매 아
브람이 하갈이 낳은 그 아들을 이름하
여 이스마엘이라 하였더라
16 하갈이 아브람에게 이스마엘을 낳았을
때에 아브람이 팔십육 세였더라

할례 : 언약의 표징

17 아브람이 구십구 세 때에 여호와
께서 아브람에게 나타나서 그에
게 이르시되 나는 전능한 하나님이라
너는 내 앞에서 행하여 완전하라
2 내가 내 언약을 나와 너 사이에 두어
너를 크게 번성하게 하리라 하시니
3 아브람이 엎드렸더니 하나님이 또 그
에게 말씀하여 이르시되
4 보라 내 언약이 너와 함께 있으니 너는

11
12
13
14
15 ●
16

할례 : 언약의 표징

17
2
3
4

여러 민족의 아버지가 될지라
5 이제 후로는 네 이름을 아브람이라 하
지 아니하고 아브라함이라 하리니 이
는 내가 너를 여러 민족의 아버지가 되
게 함이니라
6 내가 너로 심히 번성하게 하리니 내가
네게서 민족들이 나게 하며 왕들이 네
게로부터 나오리라
7 내가 내 언약을 나와 너 및 네 대대 후
손 사이에 세워서 영원한 언약을 삼고
너와 네 후손의 하나님이 되리라
8 내가 너와 네 후손에게 네가 거류하는
이 땅 곧 가나안 온 땅을 주어 영원한
기업이 되게 하고 나는 그들의 하나님
이 되리라
9 ●하나님이 또 아브라함에게 이르시되
그런즉 너는 내 언약을 지키고 네 후손
도 대대로 지키라
10 너희 중 남자는 다 할례를 받으라 이것
이 나와 너희와 너희 후손 사이에 지킬
내 언약이니라
11 너희는 포피를 베어라 이것이 나와 너
희 사이의 언약의 표징이니라
12 너희의 대대로 모든 남자는 집에서 난
자나 또는 너희 자손이 아니라 이방 사
람에게서 돈으로 산 자를 막론하고 난
지 팔 일 만에 할례를 받을 것이라
13 너희 집에서 난 자든지 너희 돈으로 산
자든지 할례를 받아야 하리니 이에 내
언약이 너희 살에 있어 영원한 언약이
되려니와

5
6
7
8
9 ●
10
11
12
13

14 할례를 받지 아니한 남자 곧 그 포피를
베지 아니한 자는 백성 중에서 끊어지
리니 그가 내 언약을 배반하였음이니
라
15 ●하나님이 또 아브라함에게 이르시되
네 아내 사래는 이름을 사래라 하지 말
고 사라라 하라
16 내가 그에게 복을 주어 그가 네게 아들
을 낳아 주게 하며 내가 그에게 복을
주어 그를 여러 민족의 어머니가 되게
하리니 민족의 여러 왕이 그에게서 나
리라
17 아브라함이 엎드려 웃으며 마음속으로
이르되 백 세 된 사람이 어찌 자식을
낳을까 사라는 구십 세니 어찌 출산하
리요 하고
18 아브라함이 이에 하나님께 아뢰되 이
스마엘이나 하나님 앞에 살기를 원하
나이다
19 하나님이 이르시되 아니라 네 아내 사
라가 네게 아들을 낳으리니 너는 그 이
름을 이삭이라 하라 내가 그와 내 언약
을 세우리니 그의 후손에게 영원한 언
약이 되리라
20 이스마엘에 대하여는 내가 네 말을 들
었나니 내가 그에게 복을 주어 그를 매
우 크게 생육하고 번성하게 할지라 그
가 열두 두령을 낳으리니 내가 그를 큰
나라가 되게 하려니와
21 내 언약은 내가 내년 이 시기에 사라가
네게 낳을 이삭과 세우리라

14

15 ●

16

17

18

19

20

21

22 하나님이 아브라함과 말씀을 마치시고
그를 떠나 올라가셨더라
23 ●이에 아브라함이 하나님이 자기에게
말씀하신 대로 이 날에 그 아들 이스마
엘과 집에서 태어난 모든 자와 돈으로
산 모든 자 곧 아브라함의 집 사람 중
모든 남자를 데려다가 그 포피를 베었
으니
24 아브라함이 그의 포피를 벤 때는 구십
구 세였고
25 그의 아들 이스마엘이 그의 포피를 벤
때는 십삼 세였더라
26 그 날에 아브라함과 그 아들 이스마엘
이 할례를 받았고
27 그 집의 모든 남자 곧 집에서 태어난
자와 돈으로 이방 사람에게서 사온 자
가 다 그와 함께 할례를 받았더라

아브라함이 아들을 약속받다

18 여호와께서 마므레의 상수리나
무들이 있는 곳에서 아브라함에
게 나타나시니라 날이 뜨거울 때에 그
가 장막 문에 앉아 있다가
2 눈을 들어 본즉 사람 셋이 맞은편에
서 있는지라 그가 그들을 보자 곧 장
막 문에서 달려나가 영접하며 몸을 땅
에 굽혀
3 이르되 내 주여 내가 주께 은혜를 입었
사오면 원하건대 종을 떠나 지나가지
마시옵고
4 물을 조금 가져오게 하사 당신들의 발
을 씻으시고 나무 아래에서 쉬소서

22
23 ●
24
25
26
27
아브라함이 아들을 약속받다
18
2
3
4

5 내가 떡을 조금 가져오리니 당신들의 5
마음을 상쾌하게 하신 후에 지나가소
서 당신들이 종에게 오셨음이니이다
그들이 이르되 네 말대로 그리하라
6 아브라함이 급히 장막으로 가서 사라 6
에게 이르되 속히 고운 가루 세 스아를
가져다가 반죽하여 떡을 만들라 하고
7 아브라함이 또 가축 떼 있는 곳으로 달 7
려가서 기름지고 좋은 송아지를 잡아
하인에게 주니 그가 급히 요리한지라
8 아브라함이 엉긴 젖과 우유와 하인이 8
요리한 송아지를 가져다가 그들 앞에
차려 놓고 나무 아래에 모셔 서매 그들
이 먹으니라
9 그들이 아브라함에게 이르되 네 아내 9
사라가 어디 있느냐 대답하되 장막에
있나이다
10 그가 이르시되 내년 이맘때 내가 반드 10
시 네게로 돌아오리니 네 아내 사라에
게 아들이 있으리라 하시니 사라가 그
뒤 장막 문에서 들었더라
11 아브라함과 사라는 나이가 많아 늙었 11
고 사라에게는 여성의 생리가 끊어졌
는지라
12 사라가 속으로 웃고 이르되 내가 노쇠 12
하였고 내 주인도 늙었으니 내게 무슨
즐거움이 있으리요
13 여호와께서 아브라함에게 이르시되 사 13
라가 왜 웃으며 이르기를 내가 늙었거
늘 어떻게 아들을 낳으리요 하느냐
14 여호와께 능하지 못한 일이 있겠느냐 14

기한이 이를 때에 내가 네게로 돌아오
리니 사라에게 아들이 있으리라
15 사라가 두려워서 부인하여 이르되 내
가 웃지 아니하였나이다 이르시되 아
니라 네가 웃었느니라

아브라함이 소돔을 위하여 빌다

16 ●그 사람들이 거기서 일어나서 소돔
으로 향하고 아브라함은 그들을 전송
하러 함께 나가니라
17 여호와께서 이르시되 내가 하려는 것
을 아브라함에게 숨기겠느냐
18 아브라함은 강대한 나라가 되고 천하
만민은 그로 말미암아 복을 받게 될 것
이 아니냐
19 내가 그로 그 자식과 권속에게 명하여
여호와의 도를 지켜 의와 공도를 행하
게 하려고 그를 택하였나니 이는 나 여
호와가 아브라함에게 대하여 말한 일
을 이루려 함이니라
20 여호와께서 또 이르시되 소돔과 고모
라에 대한 부르짖음이 크고 그 죄악이
심히 무거우니
21 내가 이제 내려가서 그 모든 행한 것이
과연 내게 들린 부르짖음과 같은지 그
렇지 않은지 내가 보고 알려 하노라
22 ●그 사람들이 거기서 떠나 소돔으로
향하여 가고 아브라함은 여호와 앞에
그대로 섰더니
23 아브라함이 가까이 나아가 이르되 주
께서 의인을 악인과 함께 멸하려 하시
나이까

15

아브라함이 소돔을 위하여 빌다

16 ●

17

18

19

20

21

22 ●

23

24 그 성 중에 의인 오십 명이 있을지라도
주께서 그 곳을 멸하시고 그 오십 의인
을 위하여 용서하지 아니하시리이까
25 주께서 이같이 하사 의인을 악인과 함
께 죽이심은 부당하오며 의인과 악인
을 같이 하심도 부당하니이다 세상을
심판하시는 이가 정의를 행하실 것이
아니니이까
26 여호와께서 이르시되 내가 만일 소돔
성읍 가운데에서 의인 오십 명을 찾으
면 그들을 위하여 온 지역을 용서하리
라
27 아브라함이 대답하여 이르되 나는 티
끌이나 재와 같사오나 감히 주께 아뢰
나이다
28 오십 의인 중에 오 명이 부족하다면 그
오 명이 부족함으로 말미암아 온 성읍
을 멸하시리이까 이르시되 내가 거기
서 사십오 명을 찾으면 멸하지 아니하
리라
29 아브라함이 또 아뢰어 이르되 거기서
사십 명을 찾으시면 어찌 하려 하시나
이까 이르시되 사십 명으로 말미암아
멸하지 아니하리라
30 아브라함이 이르되 내 주여 노하지 마
시옵고 말씀하게 하옵소서 거기서 삼
십 명을 찾으시면 어찌 하려 하시나이
까 이르시되 내가 거기서 삼십 명을 찾
으면 그리하지 아니하리라
31 아브라함이 또 이르되 내가 감히 내 주
께 아뢰나이다 거기서 이십 명을 찾으

24

25

26

27

28

29

30

31

시면 어찌 하려 하시나이까 이르시되
내가 이십 명으로 말미암아 그리하지
아니하리라
32 아브라함이 또 이르되 주는 노하지 마
옵소서 내가 이번만 더 아뢰리이다 거
기서 십 명을 찾으시면 어찌 하려 하시
나이까 이르시되 내가 십 명으로 말미
암아 멸하지 아니하리라
33 여호와께서 아브라함과 말씀을 마치시
고 가시니 아브라함도 자기 곳으로 돌
아갔더라

소돔의 죄악

19 저녁 때에 그 두 천사가 소돔에
이르니 마침 롯이 소돔 성문에
앉아 있다가 그들을 보고 일어나 영접
하고 땅에 엎드려 절하며
2 이르되 내 주여 돌이켜 종의 집으로 들
어와 발을 씻고 주무시고 일찍이 일어
나 갈 길을 가소서 그들이 이르되 아니
라 우리가 거리에서 밤을 새우리라
3 롯이 간청하매 그제서야 돌이켜 그 집
으로 들어오는지라 롯이 그들을 위하
여 식탁을 베풀고 무교병을 구우니 그
들이 먹으니라
4 그들이 눕기 전에 그 성 사람 곧 소돔
백성들이 노소를 막론하고 원근에서
다 모여 그 집을 에워싸고
5 롯을 부르고 그에게 이르되 오늘 밤에
네게 온 사람들이 어디 있느냐 이끌어
내라 우리가 그들을 상관하리라
6 롯이 문 밖의 무리에게로 나가서 뒤로

32
33
소돔의 죄악
19
2
3
4
5
6

문을 닫고
7 이르되 청하노니 내 형제들아 이런 악
을 행하지 말라
8 내게 남자를 가까이 하지 아니한 두 딸
이 있노라 청하건대 내가 그들을 너희
에게로 이끌어 내리니 너희 눈에 좋을
대로 그들에게 행하고 이 사람들은 내
집에 들어왔은즉 이 사람들에게는 아
무 일도 저지르지 말라
9 그들이 이르되 너는 물러나라 또 이르
되 이 자가 들어와서 거류하면서 우리
의 법관이 되려 하는도다 이제 우리가
그들보다 너를 더 해하리라 하고 롯을
밀치며 가까이 가서 그 문을 부수려고
하는지라
10 그 사람들이 손을 내밀어 롯을 집으로
끌어들이고 문을 닫고
11 문 밖의 무리를 대소를 막론하고 그 눈
을 어둡게 하니 그들이 문을 찾느라고
헤매었더라

롯이 소돔을 떠나다

12 ●그 사람들이 롯에게 이르되 이 외에
네게 속한 자가 또 있느냐 네 사위나
자녀나 성 중에 네게 속한 자들을 다
성 밖으로 이끌어 내라
13 그들에 대한 부르짖음이 여호와 앞에
크므로 여호와께서 이 곳을 멸하시려고
우리를 보내셨나니 우리가 멸하리라
14 롯이 나가서 그 딸들과 결혼할 사위들
에게 말하여 이르기를 여호와께서 이
성을 멸하실 터이니 너희는 일어나 이

7

8

9

10

11

롯이 소돔을 떠나다

12 ●

13

14

곳에서 떠나라 하되 그의 사위들은 농
담으로 여겼더라
15 동틀 때에 천사가 롯을 재촉하여 이르
되 일어나 여기 있는 네 아내와 두 딸
을 이끌어 내라 이 성의 죄악 중에 함
께 멸망할까 하노라
16 그러나 롯이 지체하매 그 사람들이 롯
의 손과 그 아내의 손과 두 딸의 손을
잡아 인도하여 성 밖에 두니 여호와께
서 그에게 자비를 더하심이었더라
17 그 사람들이 그들을 밖으로 이끌어 낸
후에 이르되 도망하여 생명을 보존하
라 돌아보거나 들에 머물지 말고 산으
로 도망하여 멸망함을 면하라
18 롯이 그들에게 이르되 내 주여 그리 마
옵소서
19 주의 종이 주께 은혜를 입었고 주께서
큰 인자를 내게 베푸사 내 생명을 구원
하시오나 내가 도망하여 산에까지 갈
수 없나이다 두렵건대 재앙을 만나 죽
을까 하나이다
20 보소서 저 성읍은 도망하기에 가깝고
작기도 하오니 나를 그 곳으로 도망하
게 하소서 이는 작은 성읍이 아니니이
까 내 생명이 보존되리이다
21 그가 그에게 이르되 내가 이 일에도 네
소원을 들었은즉 네가 말하는 그 성읍
을 멸하지 아니하리니
22 그리로 속히 도망하라 네가 거기 이르
기까지는 내가 아무 일도 행할 수 없노
라 하였더라 그러므로 그 성읍 이름을

15

16

17

18

19

20

21

22

소알이라 불렀더라

소돔과 고모라를 멸하시다

23 ●롯이 소알에 들어갈 때에 해가 돋았
더라
24 여호와께서 하늘 곧 여호와께로부터
유황과 불을 소돔과 고모라에 비같이
내리사
25 그 성들과 온 들과 성에 거주하는 모든
백성과 땅에 난 것을 다 엎어 멸하셨더
라
26 롯의 아내는 뒤를 돌아보았으므로 소
금 기둥이 되었더라
27 아브라함이 그 아침에 일찍이 일어나
여호와 앞에 서 있던 곳에 이르러
28 소돔과 고모라와 그 온 지역을 향하여
눈을 들어 연기가 옹기 가마의 연기같
이 치솟음을 보았더라
29 ●하나님이 그 지역의 성을 멸하실 때
곧 롯이 거주하는 성을 엎으실 때에 하
나님이 아브라함을 생각하사 롯을 그
엎으시는 중에서 내보내셨더라

모압과 암몬 자손의 조상

30 ●롯이 소알에 거주하기를 두려워하여
두 딸과 함께 소알에서 나와 산에 올라
가 거주하되 그 두 딸과 함께 굴에 거
주하였더니
31 큰 딸이 작은 딸에게 이르되 우리 아버
지는 늙으셨고 온 세상의 도리를 따라
우리의 배필 될 사람이 이 땅에는 없으
니
32 우리가 우리 아버지에게 술을 마시게

소돔과 고모라를 멸하시다

23 ●

24

25

26

27

28

29 ●

모압과 암몬 자손의 조상

30 ●

31

32

하고 동침하여 우리 아버지로 말미암
아 후손을 이어가자 하고
33 그 밤에 그들이 아버지에게 술을 마시
게 하고 큰 딸이 들어가서 그 아버지와
동침하니라 그러나 그 아버지는 그 딸
이 눕고 일어나는 것을 깨닫지 못하였
더라
34 이튿날 큰 딸이 작은 딸에게 이르되 어
제 밤에는 내가 우리 아버지와 동침하
였으니 오늘 밤에도 우리가 아버지에
게 술을 마시게 하고 네가 들어가 동침
하고 우리가 아버지로 말미암아 후손
을 이어가자 하고
35 그 밤에도 그들이 아버지에게 술을 마
시게 하고 작은 딸이 일어나 아버지와
동침하니라 그러나 아버지는 그 딸이
눕고 일어나는 것을 깨닫지 못하였더라
36 롯의 두 딸이 아버지로 말미암아 임신
하고
37 큰 딸은 아들을 낳아 이름을 모압이라
하였으니 오늘날 모압의 조상이요
38 작은 딸도 아들을 낳아 이름을 벤암미
라 하였으니 오늘날 암몬 자손의 조상
이었더라

아브라함과 아비멜렉

20 아브라함이 거기서 네게브 땅으
로 옮겨가 가데스와 술 사이 그
랄에 거류하며
2 그의 아내 사라를 자기 누이라 하였으
므로 그랄 왕 아비멜렉이 사람을 보내
어 사라를 데려갔더니

33

34

35

36

37

38

아브라함과 아비멜렉

20

2

3 그 밤에 하나님이 아비멜렉에게 현몽
하시고 그에게 이르시되 네가 데려간
이 여인으로 말미암아 네가 죽으리니
그는 남편이 있는 여자임이라
4 아비멜렉이 그 여인을 가까이 하지 아
니하였으므로 그가 대답하되 주여 주
께서 의로운 백성도 멸하시나이까
5 그가 나에게 이는 내 누이라고 하지 아
니하였나이까 그 여인도 그는 내 오라
비라 하였사오니 나는 온전한 마음과
깨끗한 손으로 이렇게 하였나이다
6 하나님이 꿈에 또 그에게 이르시되 네
가 온전한 마음으로 이렇게 한 줄을 나
도 알았으므로 너를 막아 내게 범죄하
지 아니하게 하였나니 여인에게 가까
이 하지 못하게 함이 이 때문이니라
7 이제 그 사람의 아내를 돌려보내라 그
는 선지자라 그가 너를 위하여 기도하
리니 네가 살려니와 네가 돌려보내지
아니하면 너와 네게 속한 자가 다 반드
시 죽을 줄 알지니라
8 ●아비멜렉이 그 날 아침에 일찍이 일
어나 모든 종들을 불러 그 모든 일을
말하여 들려 주니 그들이 심히 두려워
하였더라
9 아비멜렉이 아브라함을 불러서 그에게
이르되 네가 어찌하여 우리에게 이렇
게 하느냐 내가 무슨 죄를 네게 범하였
기에 네가 나와 내 나라가 큰 죄에 빠
질 뻔하게 하였느냐 네가 합당하지 아
니한 일을 내게 행하였도다 하고

3

4

5

6

7

8 ●

9

10 아비멜렉이 또 아브라함에게 이르되
네가 무슨 뜻으로 이렇게 하였느냐
11 아브라함이 이르되 이 곳에서는 하나
님을 두려워함이 없으니 내 아내로 말
미암아 사람들이 나를 죽일까 생각하
였음이요
12 또 그는 정말로 나의 이복 누이로서 내
아내가 되었음이니라
13 하나님이 나를 내 아버지의 집을 떠나
두루 다니게 하실 때에 내가 아내에게
말하기를 이 후로 우리의 가는 곳마다
그대는 나를 그대의 오라비라 하라 이
것이 그대가 내게 베풀 은혜라 하였었
노라
14 아비멜렉이 양과 소와 종들을 이끌어
아브라함에게 주고 그의 아내 사라도
그에게 돌려보내고
15 아브라함에게 이르되 내 땅이 네 앞에
있으니 네가 보기에 좋은 대로 거주하
라 하고
16 사라에게 이르되 내가 은 천 개를 네
오라비에게 주어서 그것으로 너와 함
께 한 여러 사람 앞에서 네 수치를 가
리게 하였노니 네 일이 다 해결되었느
니라
17 아브라함이 하나님께 기도하매 하나님
이 아비멜렉과 그의 아내와 여종을 치
료하사 출산하게 하셨으니
18 여호와께서 이왕에 아브라함의 아내
사라의 일로 아비멜렉의 집의 모든 태
를 닫으셨음이더라

사라가 이삭을 낳다

21 여호와께서 말씀하신 대로 사라
를 돌보셨고 여호와께서 말씀하
신 대로 사라에게 행하셨으므로
2 사라가 임신하고 하나님이 말씀하신
시기가 되어 노년의 아브라함에게 아
들을 낳으니
3 아브라함이 그에게 태어난 아들 곧 사
라가 자기에게 낳은 아들을 이름하여
이삭이라 하였고
4 그 아들 이삭이 난 지 팔 일 만에 그가
하나님이 명령하신 대로 할례를 행하
였더라
5 아브라함이 그의 아들 이삭이 그에게
태어날 때에 백 세라
6 사라가 이르되 하나님이 나를 웃게 하
시니 듣는 자가 다 나와 함께 웃으리로
다
7 또 이르되 사라가 자식들을 젖먹이겠
다고 누가 아브라함에게 말하였으리요
마는 아브라함의 노경에 내가 아들을
낳았도다 하니라

하갈과 이스마엘을 내쫓다

8 ●아이가 자라매 젖을 떼고 이삭이 젖
을 떼는 날에 아브라함이 큰 잔치를 베
풀었더라
9 사라가 본즉 아브라함의 아들 애굽 여
인 하갈의 아들이 이삭을 놀리는지라
10 그가 아브라함에게 이르되 이 여종과
그 아들을 내쫓으라 이 종의 아들은 내
아들 이삭과 함께 기업을 얻지 못하리

사라가 이삭을 낳다

21

2

3

4

5

6

7

하갈과 이스마엘을 내쫓다

8 ●

9

10

라 하므로
11 아브라함이 그의 아들로 말미암아 그
일이 매우 근심이 되었더니
12 하나님이 아브라함에게 이르시되 네
아이나 네 여종으로 말미암아 근심하
지 말고 사라가 네게 이른 말을 다 들
으라 이삭에게서 나는 자라야 네 씨라
부를 것임이니라
13 그러나 여종의 아들도 네 씨니 내가 그
로 한 민족을 이루게 하리라 하신지라
14 아브라함이 아침에 일찍이 일어나 떡
과 물 한 가죽부대를 가져다가 하갈의
어깨에 메워 주고 그 아이를 데리고 가
게 하니 하갈이 나가서 브엘세바 광야
에서 방황하더니
15 가죽부대의 물이 떨어진지라 그 자식
을 관목덤불 아래에 두고
16 이르되 아이가 죽는 것을 차마 보지 못
하겠다 하고 화살 한 바탕 거리 떨어져
마주 앉아 바라보며 소리 내어 우니
17 하나님이 그 어린 아이의 소리를 들으
셨으므로 하나님의 사자가 하늘에서부
터 하갈을 불러 이르시되 하갈아 무슨
일이냐 두려워하지 말라 하나님이 저
기 있는 아이의 소리를 들으셨나니
18 일어나 아이를 일으켜 네 손으로 붙들
라 그가 큰 민족을 이루게 하리라 하시
니라
19 하나님이 하갈의 눈을 밝히셨으므로
샘물을 보고 가서 가죽부대에 물을 채
워다가 그 아이에게 마시게 하였더라

11

12

13

14

15

16

17

18

19

20 하나님이 그 아이와 함께 계시매 그가
장성하여 광야에서 거주하며 활 쏘는
자가 되었더니
21 그가 바란 광야에 거주할 때에 그의 어
머니가 그를 위하여 애굽 땅에서 아내
를 얻어 주었더라

아브라함과 아비멜렉의 언약

22 ●그 때에 아비멜렉과 그 군대 장관 비
골이 아브라함에게 말하여 이르되 네
가 무슨 일을 하든지 하나님이 너와 함
께 계시도다
23 그런즉 너는 나와 내 아들과 내 손자에
게 거짓되이 행하지 아니하기를 이제
여기서 하나님을 가리켜 내게 맹세하
라 내가 네게 후대한 대로 너도 나와
네가 머무는 이 땅에 행할 것이니라
24 아브라함이 이르되 내가 맹세하리라
하고
25 아비멜렉의 종들이 아브라함의 우물을
빼앗은 일에 관하여 아브라함이 아비
멜렉을 책망하매
26 아비멜렉이 이르되 누가 그리하였는지
내가 알지 못하노라 너도 내게 알리지
아니하였고 나도 듣지 못하였더니 오
늘에야 들었노라
27 아브라함이 양과 소를 가져다가 아비
멜렉에게 주고 두 사람이 서로 언약을
세우니라
28 아브라함이 일곱 암양 새끼를 따로 놓
으니
29 아비멜렉이 아브라함에게 이르되 이 일

20

21

아브라함과 아비멜렉의 언약

22 ●

23

24

25

26

27

28

29

곱 암양 새끼를 따로 놓음은 어찜이냐
30 아브라함이 이르되 너는 내 손에서 이
암양 새끼 일곱을 받아 내가 이 우물
판 증거를 삼으라 하고
31 두 사람이 거기서 서로 맹세하였으므
로 그 곳을 브엘세바라 이름하였더라
32 그들이 브엘세바에서 언약을 세우매
아비멜렉과 그 군대 장관 비골은 떠나
블레셋 사람의 땅으로 돌아갔고
33 아브라함은 브엘세바에 에셀 나무를
심고 거기서 영원하신 하나님 여호와
의 이름을 불렀으며
34 그가 블레셋 사람의 땅에서 여러 날을
지냈더라

이삭을 번제로 드리라 하시다

22 그 일 후에 하나님이 아브라함
을 시험하시려고 그를 부르시되
아브라함아 하시니 그가 이르되 내가
여기 있나이다
2 여호와께서 이르시되 네 아들 네 사랑
하는 독자 이삭을 데리고 모리아 땅으
로 가서 내가 네게 일러 준 한 산 거기
서 그를 번제로 드리라
3 아브라함이 아침에 일찍이 일어나 나
귀에 안장을 지우고 두 종과 그의 아들
이삭을 데리고 번제에 쓸 나무를 쪼개
어 가지고 떠나 하나님이 자기에게 일
러 주신 곳으로 가더니
4 제삼일에 아브라함이 눈을 들어 그 곳
을 멀리 바라본지라
5 이에 아브라함이 종들에게 이르되 너

30

31

32

33

34

이삭을 번제로 드리라 하시다

22

2

3

4

5

희는 나귀와 함께 여기서 기다리라 내
가 아이와 함께 저기 가서 예배하고 우
리가 너희에게로 돌아오리라 하고
6 아브라함이 이에 번제 나무를 가져다
가 그의 아들 이삭에게 지우고 자기는
불과 칼을 손에 들고 두 사람이 동행하
더니
7 이삭이 그 아버지 아브라함에게 말하
여 이르되 내 아버지여 하니 그가 이르
되 내 아들아 내가 여기 있노라 이삭이
이르되 불과 나무는 있거니와 번제할
어린 양은 어디 있나이까
8 아브라함이 이르되 내 아들아 번제할
어린 양은 하나님이 자기를 위하여 친
히 준비하시리라 하고 두 사람이 함께
나아가서
9 하나님이 그에게 일러 주신 곳에 이른
지라 이에 아브라함이 그 곳에 제단을
쌓고 나무를 벌여 놓고 그의 아들 이삭
을 결박하여 제단 나무 위에 놓고
10 손을 내밀어 칼을 잡고 그 아들을 잡으
려 하니
11 여호와의 사자가 하늘에서부터 그를
불러 이르시되 아브라함아 아브라함아
하시는지라 아브라함이 이르되 내가
여기 있나이다 하매
12 사자가 이르시되 그 아이에게 네 손을
대지 말라 그에게 아무 일도 하지 말라
네가 네 아들 네 독자까지도 내게 아끼
지 아니하였으니 내가 이제야 네가 하
나님을 경외하는 줄을 아노라

6

7

8

9

10

11

12

13 아브라함이 눈을 들어 살펴본즉 한 숫
양이 뒤에 있는데 뿔이 수풀에 걸려 있
는지라 아브라함이 가서 그 숫양을 가
져다가 아들을 대신하여 번제로 드렸
더라
14 아브라함이 그 땅 이름을 여호와 이레
라 하였으므로 오늘날까지 사람들이
이르기를 여호와의 산에서 준비되리라
하더라
15 여호와의 사자가 하늘에서부터 두 번
째 아브라함을 불러
16 이르시되 여호와께서 이르시기를 내가
나를 가리켜 맹세하노니 네가 이같이
행하여 네 아들 네 독자도 아끼지 아니
하였은즉
17 내가 네게 큰 복을 주고 네 씨가 크게
번성하여 하늘의 별과 같고 바닷가의
모래와 같게 하리니 네 씨가 그 대적의
성문을 차지하리라
18 또 네 씨로 말미암아 천하 만민이 복을
받으리니 이는 네가 나의 말을 준행하
였음이니라 하셨다 하니라
19 이에 아브라함이 그의 종들에게로 돌
아가서 함께 떠나 브엘세바에 이르러
거기 거주하였더라

나홀의 후예

20 ●이 일 후에 어떤 사람이 아브라함에
게 알리어 이르기를 밀가가 당신의 형
제 나홀에게 자녀를 낳았다 하였더라
21 그의 맏아들은 우스요 우스의 형제는
부스와 아람의 아버지 그므엘과

13

14

15

16

17

18

19

나홀의 후예

20 ●

21

22 게셋과 하소와 빌다스와 이들랍과 브두엘이라

23 이 여덟 사람은 아브라함의 형제 나홀의 아내 밀가의 소생이며 브두엘은 리브가를 낳았고

24 나홀의 첩 르우마라 하는 자도 데바와 가함과 다하스와 마아가를 낳았더라

아브라함이 막벨라 굴을 사다

23 사라가 백이십칠 세를 살았으니 이것이 곧 사라가 누린 햇수라

2 사라가 가나안 땅 헤브론 곧 기럇아르바에서 죽으매 아브라함이 들어가서 사라를 위하여 슬퍼하며 애통하다가

3 그 시신 앞에서 일어나 나가서 헷 족속에게 말하여 이르되

4 나는 당신들 중에 나그네요 거류하는 자이니 당신들 중에서 내게 매장할 소유지를 주어 내가 나의 죽은 자를 내 앞에서 내어다가 장사하게 하시오

5 헷 족속이 아브라함에게 대답하여 이르되

6 내 주여 들으소서 당신은 우리 가운데 있는 하나님이 세우신 지도자이시니 우리 묘실 중에서 좋은 것을 택하여 당신의 죽은 자를 장사하소서 우리 중에서 자기 묘실에 당신의 죽은 자 장사함을 금할 자가 없으리이다

7 아브라함이 일어나 그 땅 주민 헷 족속을 향하여 몸을 굽히고

8 그들에게 말하여 이르되 나로 나의 죽은 자를 내 앞에서 내어다가 장사하게

22

23

24

아브라함이 막벨라 굴을 사다

23

2

3

4

5

6

7

8

하는 일이 당신들의 뜻일진대 내 말을
듣고 나를 위하여 소할의 아들 에브론
에게 구하여
9 그가 그의 밭머리에 있는 그의 막벨라
굴을 내게 주도록 하되 충분한 대가를
받고 그 굴을 내게 주어 당신들 중에서
매장할 소유지가 되게 하기를 원하노
라 하매
10 에브론이 헷 족속 중에 앉아 있더니 그
가 헷 족속 곧 성문에 들어온 모든 자
가 듣는 데서 아브라함에게 대답하여
이르되
11 내 주여 그리 마시고 내 말을 들으소서
내가 그 밭을 당신에게 드리고 그 속의
굴도 내가 당신에게 드리되 내가 내 동
족 앞에서 당신에게 드리오니 당신의
죽은 자를 장사하소서
12 아브라함이 이에 그 땅의 백성 앞에서
몸을 굽히고
13 그 땅의 백성이 듣는 데서 에브론에게
말하여 이르되 당신이 합당히 여기면
청하건대 내 말을 들으시오 내가 그 밭
값을 당신에게 주리니 당신은 내게서
받으시오 내가 나의 죽은 자를 거기 장
사하겠노라
14 에브론이 아브라함에게 대답하여 이르
되
15 내 주여 내 말을 들으소서 땅 값은 은
사백 세겔이나 그것이 나와 당신 사이
에 무슨 문제가 되리이까 당신의 죽은
자를 장사하소서

9

10

11

12

13

14

15

16 아브라함이 에브론의 말을 따라 에브
론이 헷 족속이 듣는 데서 말한 대로
상인이 통용하는 은 사백 세겔을 달아
에브론에게 주었더니
17 마므레 앞 막벨라에 있는 에브론의 밭
곧 그 밭과 거기에 속한 굴과 그 밭과
그 주위에 둘린 모든 나무가
18 성 문에 들어온 모든 헷 족속이 보는
데서 아브라함의 소유로 확정된지라
19 그 후에 아브라함이 그 아내 사라를 가
나안 땅 마므레 앞 막벨라 밭 굴에 장
사하였더라 (마므레는 곧 헤브론이라)
20 이와 같이 그 밭과 거기에 속한 굴이
헷 족속으로부터 아브라함이 매장할
소유지로 확정되었더라

이삭이 리브가를 아내로 삼다

24 아브라함이 나이가 많아 늙었고
여호와께서 그에게 범사에 복을
주셨더라
2 아브라함이 자기 집 모든 소유를 맡은
늙은 종에게 이르되 청하건대 내 허벅
지 밑에 네 손을 넣으라
3 내가 너에게 하늘의 하나님, 땅의 하나
님이신 여호와를 가리켜 맹세하게 하
노니 너는 내가 거주하는 이 지방 가나
안 족속의 딸 중에서 내 아들을 위하여
아내를 택하지 말고
4 내 고향 내 족속에게로 가서 내 아들
이삭을 위하여 아내를 택하라
5 종이 이르되 여자가 나를 따라 이 땅으
로 오려고 하지 아니하거든 내가 주인

16
17
18
19
20
이삭이 리브가를 아내로 삼다
24
2
3
4
5

의 아들을 주인이 나오신 땅으로 인도
하여 돌아가리이까
6 아브라함이 그에게 이르되 내 아들을
그리로 데리고 돌아가지 아니하도록
하라
7 하늘의 하나님 여호와께서 나를 내 아
버지의 집과 내 고향 땅에서 떠나게 하
시고 내게 말씀하시며 내게 맹세하여
이르시기를 이 땅을 네 씨에게 주리라
하셨으니 그가 그 사자를 너보다 앞서
보내실지라 네가 거기서 내 아들을 위
하여 아내를 택할지니라
8 만일 여자가 너를 따라 오려고 하지 아
니하면 나의 이 맹세가 너와 상관이 없
나니 오직 내 아들을 데리고 그리로 가
지 말지니라
9 그 종이 이에 그의 주인 아브라함의 허
벅지 아래에 손을 넣고 이 일에 대하여
그에게 맹세하였더라
10 ●이에 종이 그 주인의 낙타 중 열 필
을 끌고 떠났는데 곧 그의 주인의 모든
좋은 것을 가지고 떠나 메소보다미아
로 가서 나홀의 성에 이르러
11 그 낙타를 성 밖 우물 곁에 꿇렸으니
저녁 때라 여인들이 물을 길으러 나올
때였더라
12 그가 이르되 우리 주인 아브라함의 하
나님 여호와여 원하건대 오늘 나에게
순조롭게 만나게 하사 내 주인 아브라
함에게 은혜를 베푸시옵소서
13 성 중 사람의 딸들이 물 길으러 나오겠

6

7

8

9

10 ●

11

12

13

사오니 내가 우물 곁에 서 있다가
14 한 소녀에게 이르기를 청하건대 너는
물동이를 기울여 나로 마시게 하라 하
리니 그의 대답이 마시라 내가 당신의
낙타에게도 마시게 하리라 하면 그는
주께서 주의 종 이삭을 위하여 정하신
자라 이로 말미암아 주께서 내 주인에
게 은혜 베푸심을 내가 알겠나이다
15 말을 마치기도 전에 리브가가 물동이
를 어깨에 메고 나오니 그는 아브라함
의 동생 나홀의 아내 밀가의 아들 브두
엘의 소생이라
16 그 소녀는 보기에 심히 아리땁고 지금
까지 남자가 가까이 하지 아니한 처녀
더라 그가 우물로 내려가서 물을 그 물
동이에 채워가지고 올라오는지라
17 종이 마주 달려가서 이르되 청하건대
네 물동이의 물을 내게 조금 마시게 하
라
18 그가 이르되 내 주여 마시소서 하며 급
히 그 물동이를 손에 내려 마시게 하고
19 마시게 하기를 다하고 이르되 당신의
낙타를 위하여서도 물을 길어 그것들
도 배불리 마시게 하리이다 하고
20 급히 물동이의 물을 구유에 붓고 다시
길으려고 우물로 달려가서 모든 낙타
를 위하여 긷는지라
21 그 사람이 그를 묵묵히 주목하며 여호
와께서 과연 평탄한 길을 주신 여부를
알고자 하더니
22 낙타가 마시기를 다하매 그가 반 세겔

14

15

16

17

18

19

20

21

22

무게의 금 코걸이 한 개와 열 세겔 무
게의 금 손목고리 한 쌍을 그에게 주며
23 이르되 네가 누구의 딸이냐 청하건대
내게 말하라 네 아버지의 집에 우리가
유숙할 곳이 있느냐
24 그 여자가 그에게 이르되 나는 밀가가
나홀에게서 낳은 아들 브두엘의 딸이
니이다
25 또 이르되 우리에게 짚과 사료가 족하
며 유숙할 곳도 있나이다
26 이에 그 사람이 머리를 숙여 여호와께
경배하고
27 이르되 나의 주인 아브라함의 하나님
여호와를 찬송하나이다 나의 주인에게
주의 사랑과 성실을 그치지 아니하셨
사오며 여호와께서 길에서 나를 인도
하사 내 주인의 동생 집에 이르게 하셨
나이다 하니라
28 ●소녀가 달려가서 이 일을 어머니 집
에 알렸더니
29 리브가에게 오라버니가 있어 그의 이
름은 라반이라 그가 우물로 달려가 그
사람에게 이르러
30 그의 누이의 코걸이와 그 손의 손목고
리를 보고 또 그의 누이 리브가가 그
사람이 자기에게 이같이 말하더라 함
을 듣고 그 사람에게로 나아감이라 그
때에 그가 우물가 낙타 곁에 서 있더라
31 라반이 이르되 여호와께 복을 받은 자
여 들어오소서 어찌 밖에 서 있나이까
내가 방과 낙타의 처소를 준비하였나

23

24

25

26

27

28 ●

29

30

31

이다
32 그 사람이 그 집으로 들어가매 라반이
낙타의 짐을 부리고 짚과 사료를 낙타
에게 주고 그 사람의 발과 그의 동행자
들의 발 씻을 물을 주고
33 그 앞에 음식을 베푸니 그 사람이 이르
되 내가 내 일을 진술하기 전에는 먹지
아니하겠나이다 라반이 이르되 말하소
서
34 그가 이르되 나는 아브라함의 종이니
이다
35 여호와께서 나의 주인에게 크게 복을
주시어 창성하게 하시되 소와 양과 은
금과 종들과 낙타와 나귀를 그에게 주
셨고
36 나의 주인의 아내 사라가 노년에 나의
주인에게 아들을 낳으매 주인이 그의
모든 소유를 그 아들에게 주었나이다
37 나의 주인이 나에게 맹세하게 하여 이
르되 너는 내 아들을 위하여 내가 사는
땅 가나안 족속의 딸들 중에서 아내를
택하지 말고
38 내 아버지의 집, 내 족속에게로 가서
내 아들을 위하여 아내를 택하라 하시
기로
39 내가 내 주인에게 여쭈되 혹 여자가 나
를 따르지 아니하면 어찌하리이까 한
즉
40 주인이 내게 이르되 내가 섬기는 여호
와께서 그의 사자를 너와 함께 보내어
네게 평탄한 길을 주시리니 너는 내 족

32

33

34

35

36

37

38

39

40

속 중 내 아버지 집에서 내 아들을 위
하여 아내를 택할 것이니라
41 네가 내 족속에게 이를 때에는 네가 내
맹세와 상관이 없으리라 만일 그들이
네게 주지 아니할지라도 네가 내 맹세
와 상관이 없으리라 하시기로
42 내가 오늘 우물에 이르러 말하기를 내
주인 아브라함의 하나님 여호와여 만일
내가 행하는 길에 형통함을 주실진대
43 내가 이 우물 곁에 서 있다가 젊은 여
자가 물을 길으러 오거든 내가 그에게
청하기를 너는 물동이의 물을 내게 조
금 마시게 하라 하여
44 그의 대답이 당신은 마시라 내가 또 당
신의 낙타를 위하여도 길으리라 하면
그 여자는 여호와께서 내 주인의 아들
을 위하여 정하여 주신 자가 되리이다
하며
45 내가 마음속으로 말하기를 마치기도
전에 리브가가 물동이를 어깨에 메고
나와서 우물로 내려와 긷기로 내가 그
에게 이르기를 청하건대 내게 마시게
하라 한즉
46 그가 급히 물동이를 어깨에서 내리며
이르되 마시라 내가 당신의 낙타에게
도 마시게 하리라 하기로 내가 마시매
그가 또 낙타에게도 마시게 한지라
47 내가 그에게 묻기를 네가 뉘 딸이냐
한즉 이르되 밀가가 나홀에게서 낳은
브두엘의 딸이라 하기로 내가 코걸이
를 그 코에 꿰고 손목고리를 그 손에

41

42

43

44

45

46

47

끼우고
48 내 주인 아브라함의 하나님 여호와께
서 나를 바른 길로 인도하사 나의 주인
의 동생의 딸을 그의 아들을 위하여 택
하게 하셨으므로 내가 머리를 숙여 그
에게 경배하고 찬송하였나이다
49 이제 당신들이 인자함과 진실함으로
내 주인을 대접하려거든 내게 알게 해
주시고 그렇지 아니할지라도 내게 알
게 해 주셔서 내가 우로든지 좌로든지
행하게 하소서
50 ●라반과 브두엘이 대답하여 이르되
이 일이 여호와께로 말미암았으니 우
리는 가부를 말할 수 없노라
51 리브가가 당신 앞에 있으니 데리고 가
서 여호와의 명령대로 그를 당신의 주
인의 아들의 아내가 되게 하라
52 아브라함의 종이 그들의 말을 듣고 땅
에 엎드려 여호와께 절하고
53 은금 패물과 의복을 꺼내어 리브가에
게 주고 그의 오라버니와 어머니에게
도 보물을 주니라
54 이에 그들 곧 종과 동행자들이 먹고 마
시고 유숙하고 아침에 일어나서 그가
이르되 나를 보내어 내 주인에게로 돌
아가게 하소서
55 리브가의 오라버니와 그의 어머니가
이르되 이 아이로 하여금 며칠 또는 열
흘을 우리와 함께 머물게 하라 그 후에
그가 갈 것이니라
56 그 사람이 그들에게 이르되 나를 만류

48

49

50 ●

51

52

53

54

55

56

하지 마소서 여호와께서 내게 형통한
길을 주셨으니 나를 보내어 내 주인에
게로 돌아가게 하소서
57 그들이 이르되 우리가 소녀를 불러 그
에게 물으리라 하고
58 리브가를 불러 그에게 이르되 네가 이
사람과 함께 가려느냐 그가 대답하되
가겠나이다
59 그들이 그 누이 리브가와 그의 유모와
아브라함의 종과 그 동행자들을 보내며
60 리브가에게 축복하여 이르되 우리 누
이여 너는 천만인의 어머니가 될지어
다 네 씨로 그 원수의 성 문을 얻게 할
지어다
61 ●리브가가 일어나 여자 종들과 함께
낙타를 타고 그 사람을 따라가니 그 종
이 리브가를 데리고 가니라
62 그 때에 이삭이 브엘라해로이에서 왔
으니 그가 네게브 지역에 거주하였음
이라
63 이삭이 저물 때에 들에 나가 묵상하다
가 눈을 들어 보매 낙타들이 오는지라
64 리브가가 눈을 들어 이삭을 바라보고
낙타에서 내려
65 종에게 말하되 들에서 배회하다가 우
리에게로 마주 오는 자가 누구냐 종이
이르되 이는 내 주인이니이다 리브가
가 너울을 가지고 자기의 얼굴을 가리
더라
66 종이 그 행한 일을 다 이삭에게 아뢰매
67 이삭이 리브가를 인도하여 그의 어머

니 사라의 장막으로 들이고 그를 맞이
하여 아내로 삼고 사랑하였으니 이삭
이 그의 어머니를 장례한 후에 위로를
얻었더라

아브라함이 죽다

25 아브라함이 후처를 맞이하였으
니 그의 이름은 그두라라
2 그가 시므란과 욕산과 므단과 미디안
과 이스박과 수아를 낳고
3 욕산은 스바와 드단을 낳았으며 드단
의 자손은 앗수르 족속과 르두시 족속
과 르움미 족속이며
4 미디안의 아들은 에바와 에벨과 하녹
과 아비다와 엘다아이니 다 그두라의
자손이었더라
5 아브라함이 이삭에게 자기의 모든 소
유를 주었고
6 자기 서자들에게도 재산을 주어 자기
생전에 그들로 하여금 자기 아들 이삭
을 떠나 동방 곧 동쪽 땅으로 가게 하
였더라
7 아브라함의 향년이 백칠십오 세라
8 그의 나이가 높고 늙어서 기운이 다하
여 죽어 자기 열조에게로 돌아가매
9 그의 아들들인 이삭과 이스마엘이 그
를 마므레 앞 헷 족속 소할의 아들 에
브론의 밭에 있는 막벨라 굴에 장사하
였으니
10 이것은 아브라함이 헷 족속에게서 산
밭이라 아브라함과 그의 아내 사라가
거기 장사되니라

아브라함이 죽다

25
2
3
4
5
6
7
8
9
10

11 아브라함이 죽은 후에 하나님이 그의 아들 이삭에게 복을 주셨고 이삭은 브엘라해로이 근처에 거주하였더라

이스마엘의 후예

12 ●사라의 여종 애굽인 하갈이 아브라함에게 낳은 아들 이스마엘의 족보는 이러하고

13 이스마엘의 아들들의 이름은 그 이름과 그 세대대로 이와 같으니라 이스마엘의 장자는 느바욧이요 그 다음은 게달과 앗브엘과 밉삼과

14 미스마와 두마와 맛사와

15 하닷과 데마와 여둘과 나비스와 게드마니

16 이들은 이스마엘의 아들들이요 그 촌과 부락대로 된 이름이며 그 족속대로는 열두 지도자들이었더라

17 이스마엘은 향년이 백삼십칠 세에 기운이 다하여 죽어 자기 백성에게로 돌아갔고

18 그 자손들은 하윌라에서부터 앗수르로 통하는 애굽 앞 술까지 이르러 그 모든 형제의 맞은편에 거주하였더라

에서와 야곱이 태어나다

19 ●아브라함의 아들 이삭의 족보는 이러하니라 아브라함이 이삭을 낳았고

20 이삭은 사십 세에 리브가를 맞이하여 아내를 삼았으니 리브가는 밧단 아람의 아람 족속 중 브두엘의 딸이요 아람 족속 중 라반의 누이였더라

21 이삭이 그의 아내가 임신하지 못하므

11

이스마엘의 후예

12 ●

13

14

15

16

17

18

에서와 야곱이 태어나다

19 ●

20

21

로 그를 위하여 여호와께 간구하매 여
호와께서 그의 간구를 들으셨으므로
그의 아내 리브가가 임신하였더니
22 그 아들들이 그의 태 속에서 서로 싸우
는지라 그가 이르되 이럴 경우에는 내
가 어찌할꼬 하고 가서 여호와께 묻자
온대
23 여호와께서 그에게 이르시되
두 국민이 네 태중에 있구나 두 민족
이 네 복중에서부터 나누이리라 이
족속이 저 족속보다 강하겠고 큰 자
가 어린 자를 섬기리라
하셨더라
24 그 해산 기한이 찬즉 태에 쌍둥이가 있
었는데
25 먼저 나온 자는 붉고 전신이 털옷 같아
서 이름을 에서라 하였고
26 후에 나온 아우는 손으로 에서의 발꿈
치를 잡았으므로 그 이름을 야곱이라
하였으며 리브가가 그들을 낳을 때에
이삭이 육십 세였더라

에서가 장자의 명분을 팔다

27 ●그 아이들이 장성하매 에서는 익숙
한 사냥꾼이었으므로 들사람이 되고
야곱은 조용한 사람이었으므로 장막에
거주하니
28 이삭은 에서가 사냥한 고기를 좋아하
므로 그를 사랑하고 리브가는 야곱을
사랑하였더라
29 야곱이 죽을 쑤었더니 에서가 들에서
돌아와서 심히 피곤하여

22

23

24

25

26

에서가 장자의 명분을 팔다

27 ●

28

29

30 야곱에게 이르되 내가 피곤하니 그 붉
은 것을 내가 먹게 하라 한지라 그러므
로 에서의 별명은 에돔이더라
31 야곱이 이르되 형의 장자의 명분을 오
늘 내게 팔라
32 에서가 이르되 내가 죽게 되었으니 이
장자의 명분이 내게 무엇이 유익하리요
33 야곱이 이르되 오늘 내게 맹세하라 에
서가 맹세하고 장자의 명분을 야곱에
게 판지라
34 야곱이 떡과 팥죽을 에서에게 주매 에
서가 먹으며 마시고 일어나 갔으니 에
서가 장자의 명분을 가볍게 여김이었
더라

이삭이 그랄에 거주하다

26 아브라함 때에 첫 흉년이 들었더
니 그 땅에 또 흉년이 들매 이삭
이 그랄로 가서 블레셋 왕 아비멜렉에
게 이르렀더니
2 여호와께서 이삭에게 나타나 이르시되
애굽으로 내려가지 말고 내가 네게 지
시하는 땅에 거주하라
3 이 땅에 거류하면 내가 너와 함께 있어
네게 복을 주고 내가 이 모든 땅을 너
와 네 자손에게 주리라 내가 네 아버지
아브라함에게 맹세한 것을 이루어
4 네 자손을 하늘의 별과 같이 번성하게
하며 이 모든 땅을 네 자손에게 주리니
네 자손으로 말미암아 천하 만민이 복
을 받으리라
5 이는 아브라함이 내 말을 순종하고 내

30

31

32

33

34

이삭이 그랄에 거주하다

26

2

3

4

5

명령과 내 계명과 내 율례와 내 법도를
지켰음이라 하시니라
6 이삭이 그랄에 거주하였더니
7 그 곳 사람들이 그의 아내에 대하여 물
으매 그가 말하기를 그는 내 누이라 하
였으니 리브가는 보기에 아리따우므로
그 곳 백성이 리브가로 말미암아 자기
를 죽일까 하여 그는 내 아내라 하기를
두려워함이었더라
8 이삭이 거기 오래 거주하였더니 이삭
이 그 아내 리브가를 껴안은 것을 블레
셋 왕 아비멜렉이 창으로 내다본지라
9 이에 아비멜렉이 이삭을 불러 이르되
그가 분명히 네 아내거늘 어찌 네 누이
라 하였느냐 이삭이 그에게 대답하되
내 생각에 그로 말미암아 내가 죽게 될
까 두려워하였음이로라
10 아비멜렉이 이르되 네가 어찌 우리에
게 이렇게 행하였느냐 백성 중 하나가
네 아내와 동침할 뻔하였도다 네가 죄
를 우리에게 입혔으리라
11 아비멜렉이 이에 모든 백성에게 명하
여 이르되 이 사람이나 그의 아내를 범
하는 자는 죽이리라 하였더라
12 ●이삭이 그 땅에서 농사하여 그 해에
백 배나 얻었고 여호와께서 복을 주시
므로
13 그 사람이 창대하고 왕성하여 마침내
거부가 되어
14 양과 소가 떼를 이루고 종이 심히 많으
므로 블레셋 사람이 그를 시기하여

6

7

8

9

10

11

12 ●

13

14

15 그 아버지 아브라함 때에 그 아버지의
종들이 판 모든 우물을 막고 흙으로 메
웠더라
16 아비멜렉이 이삭에게 이르되 네가 우
리보다 크게 강성한즉 우리를 떠나라
17 이삭이 그 곳을 떠나 그랄 골짜기에 장
막을 치고 거기 거류하며
18 그 아버지 아브라함 때에 팠던 우물들
을 다시 팠으니 이는 아브라함이 죽은
후에 블레셋 사람이 그 우물들을 메웠
음이라 이삭이 그 우물들의 이름을 그
의 아버지가 부르던 이름으로 불렀더라
19 이삭의 종들이 골짜기를 파서 샘 근원
을 얻었더니
20 그랄 목자들이 이삭의 목자와 다투어
이르되 이 물은 우리의 것이라 하매 이
삭이 그 다툼으로 말미암아 그 우물 이
름을 에섹이라 하였으며
21 또 다른 우물을 팠더니 그들이 또 다투
므로 그 이름을 싯나라 하였으며
22 이삭이 거기서 옮겨 다른 우물을 팠더
니 그들이 다투지 아니하였으므로 그
이름을 르호봇이라 하여 이르되 이제
는 여호와께서 우리를 위하여 넓게 하
셨으니 이 땅에서 우리가 번성하리로
다 하였더라
23 ●이삭이 거기서부터 브엘세바로 올라
갔더니
24 그 밤에 여호와께서 그에게 나타나 이
르시되 나는 네 아버지 아브라함의 하
나님이니 두려워하지 말라 내 종 아브

15

16

17

18

19

20

21

22

23 ●

24

라함을 위하여 내가 너와 함께 있어 네
게 복을 주어 네 자손이 번성하게 하리
라 하신지라
25 이삭이 그 곳에 제단을 쌓고, 여호와의
이름을 부르며 거기 장막을 쳤더니 이
삭의 종들이 거기서도 우물을 팠더라

이삭과 아비멜렉의 계약

26 ●아비멜렉이 그 친구 아훗삿과 군대
장관 비골과 더불어 그랄에서부터 이
삭에게로 온지라
27 이삭이 그들에게 이르되 너희가 나를
미워하여 나에게 너희를 떠나게 하였
거늘 어찌하여 내게 왔느냐
28 그들이 이르되 여호와께서 너와 함께
계심을 우리가 분명히 보았으므로 우
리의 사이 곧 우리와 너 사이에 맹세하
여 너와 계약을 맺으리라 말하였노라
29 너는 우리를 해하지 말라 이는 우리가
너를 범하지 아니하고 선한 일만 네게
행하여 네가 평안히 가게 하였음이니라
이제 너는 여호와께 복을 받은 자니라
30 이삭이 그들을 위하여 잔치를 베풀매
그들이 먹고 마시고
31 아침에 일찍이 일어나 서로 맹세한 후
에 이삭이 그들을 보내매 그들이 평안
히 갔더라
32 그 날에 이삭의 종들이 자기들이 판 우
물에 대하여 이삭에게 와서 알리어 이
르되 우리가 물을 얻었나이다 하매
33 그가 그 이름을 세바라 한지라 그러므
로 그 성읍 이름이 오늘까지 브엘세바

25

이삭과 아비멜렉의 계약

26 ●

27

28

29

30

31

32

33

더라

에서의 이방인 아내들

34 ●에서가 사십 세에 헷 족속 브에리의
딸 유딧과 헷 족속 엘론의 딸 바스맛을
아내로 맞이하였더니
35 그들이 이삭과 리브가의 마음에 근심
이 되었더라

이삭이 야곱에게 축복하다

27 이삭이 나이가 많아 눈이 어두워
잘 보지 못하더니 맏아들 에서를
불러 이르되 내 아들아 하매 그가 이르
되 내가 여기 있나이다 하니
2 이삭이 이르되 내가 이제 늙어 어느 날
죽을는지 알지 못하니
3 그런즉 네 기구 곧 화살통과 활을 가지
고 들에 가서 나를 위하여 사냥하여
4 내가 즐기는 별미를 만들어 내게로 가
져와서 먹게 하여 내가 죽기 전에 내
마음껏 네게 축복하게 하라
5 ●이삭이 그의 아들 에서에게 말할 때
에 리브가가 들었더니 에서가 사냥하
여 오려고 들로 나가매
6 리브가가 그의 아들 야곱에게 말하여
이르되 네 아버지가 네 형 에서에게 말
씀하시는 것을 내가 들으니 이르시기를
7 나를 위하여 사냥하여 가져다가 별미
를 만들어 내가 먹게 하여 죽기 전에
여호와 앞에서 네게 축복하게 하라 하
셨으니
8 그런즉 내 아들아 내 말을 따라 내가
네게 명하는 대로

에서의 이방인 아내들
34 ●
35
이삭이 야곱에게 축복하다
27
2
3
4
5 ●
6
7
8

9 염소 떼에 가서 거기서 좋은 염소 새끼
두 마리를 내게로 가져오면 내가 그것
으로 네 아버지를 위하여 그가 즐기시
는 별미를 만들리니
10 네가 그것을 네 아버지께 가져다 드려
서 그가 죽기 전에 네게 축복하기 위하
여 잡수시게 하라
11 야곱이 그 어머니 리브가에게 이르되
내 형 에서는 털이 많은 사람이요 나는
매끈매끈한 사람인즉
12 아버지께서 나를 만지실진대 내가 아
버지의 눈에 속이는 자로 보일지라 복
은 고사하고 저주를 받을까 하나이다
13 어머니가 그에게 이르되 내 아들아 너
의 저주는 내게로 돌리리니 내 말만 따
르고 가서 가져오라
14 그가 가서 끌어다가 어머니에게로 가
져왔더니 그의 어머니가 그의 아버지
가 즐기는 별미를 만들었더라
15 리브가가 집 안 자기에게 있는 그의 맏
아들 에서의 좋은 의복을 가져다가 그
의 작은 아들 야곱에게 입히고
16 또 염소 새끼의 가죽을 그의 손과 목의
매끈매끈한 곳에 입히고
17 자기가 만든 별미와 떡을 자기 아들 야
곱의 손에 주니
18 야곱이 아버지에게 나아가서 내 아버
지여 하고 부르니 이르되 내가 여기 있
노라 내 아들아 네가 누구냐
19 야곱이 아버지에게 대답하되 나는 아
버지의 맏아들 에서로소이다 아버지께

9

10

11

12

13

14

15

16

17

18

19

서 내게 명하신 대로 내가 하였사오니
원하건대 일어나 앉아서 내가 사냥한
고기를 잡수시고 아버지 마음껏 내게
축복하소서
20 이삭이 그의 아들에게 이르되 내 아들
아 네가 어떻게 이같이 속히 잡았느냐
그가 이르되 아버지의 하나님 여호와
께서 나로 순조롭게 만나게 하셨음이
니이다
21 이삭이 야곱에게 이르되 내 아들아 가
까이 오라 네가 과연 내 아들 에서인지
아닌지 내가 너를 만져보려 하노라
22 야곱이 그 아버지 이삭에게 가까이 가
니 이삭이 만지며 이르되 음성은 야곱의
음성이나 손은 에서의 손이로다 하며
23 그의 손이 형 에서의 손과 같이 털이 있
으므로 분별하지 못하고 축복하였더라
24 이삭이 이르되 네가 참 내 아들 에서냐
그가 대답하되 그러하니이다
25 이삭이 이르되 내게로 가져오라 내 아
들이 사냥한 고기를 먹고 내 마음껏 네
게 축복하리라 야곱이 그에게로 가져
가매 그가 먹고 또 포도주를 가져가매
그가 마시고
26 그의 아버지 이삭이 그에게 이르되 내
아들아 가까이 와서 내게 입맞추라
27 그가 가까이 가서 그에게 입맞추니 아
버지가 그의 옷의 향취를 맡고 그에게
축복하여 이르되

내 아들의 향취는 여호와께서 복 주
신 밭의 향취로다

28 하나님은 하늘의 이슬과 땅의 기름
짐이며 풍성한 곡식과 포도주를 네
게 주시기를 원하노라
29 만민이 너를 섬기고 열국이 네게 굴
복하리니 네가 형제들의 주가 되고
네 어머니의 아들들이 네게 굴복하
며 너를 저주하는 자는 저주를 받고
너를 축복하는 자는 복을 받기를 원
하노라
30 이삭이 야곱에게 축복하기를 마치매
야곱이 그의 아버지 이삭 앞에서 나가
자 곧 그의 형 에서가 사냥하여 돌아온
지라
31 그가 별미를 만들어 아버지에게로 가
지고 가서 이르되 아버지여 일어나서
아들이 사냥한 고기를 잡수시고 마음
껏 내게 축복하소서
32 그의 아버지 이삭이 그에게 이르되 너
는 누구냐 그가 대답하되 나는 아버지
의 아들 곧 아버지의 맏아들 에서로소
이다
33 이삭이 심히 크게 떨며 이르되 그러면
사냥한 고기를 내게 가져온 자가 누구
냐 네가 오기 전에 내가 다 먹고 그를
위하여 축복하였은즉 그가 반드시 복
을 받을 것이니라
34 에서가 그의 아버지의 말을 듣고 소리
질러 슬피 울며 아버지에게 이르되 내
아버지여 내게 축복하소서 내게도 그
리하소서
35 이삭이 이르되 네 아우가 와서 속여 네

28

29

30

31

32

33

34

35

복을 빼앗았도다
36 에서가 이르되 그의 이름을 야곱이라
함이 합당하지 아니하니이까 그가 나
를 속임이 이것이 두 번째니이다 전에
는 나의 장자의 명분을 빼앗고 이제는
내 복을 빼앗았나이다 또 이르되 아버
지께서 나를 위하여 빌 복을 남기지 아
니하셨나이까
37 이삭이 에서에게 대답하여 이르되 내
가 그를 너의 주로 세우고 그의 모든
형제를 내가 그에게 종으로 주었으며
곡식과 포도주를 그에게 주었으니 내
아들아 내가 네게 무엇을 할 수 있으랴
38 에서가 아버지에게 이르되 내 아버지
여 아버지가 빌 복이 이 하나 뿐이리이
까 내 아버지여 내게 축복하소서 내게
도 그리하소서 하고 소리를 높여 우니
39 그 아버지 이삭이 그에게 대답하여 이
르되

네 주소는 땅의 기름짐에서 멀고 내
리는 하늘 이슬에서 멀 것이며
40 너는 칼을 믿고 생활하겠고 네 아우
를 섬길 것이며 네가 매임을 벗을 때
에는 그 멍에를 네 목에서 떨쳐버리
리라

하였더라
41 그의 아버지가 야곱에게 축복한 그 축
복으로 말미암아 에서가 야곱을 미워
하여 심중에 이르기를 아버지를 곡할
때가 가까웠은즉 내가 내 아우 야곱을
죽이리라 하였더니

36

37

38

39

40

41

42 맏아들 에서의 이 말이 리브가에게 들
리매 이에 사람을 보내어 작은 아들 야
곱을 불러 그에게 이르되 네 형 에서가
너를 죽여 그 한을 풀려 하니
43 내 아들아 내 말을 따라 일어나 하란으
로 가서 내 오라버니 라반에게로 피신
하여
44 네 형의 노가 풀리기까지 몇 날 동안
그와 함께 거주하라
45 네 형의 분노가 풀려 네가 자기에게 행
한 것을 잊어버리거든 내가 곧 사람을
보내어 너를 거기서 불러오리라 어찌
하루에 너희 둘을 잃으랴

이삭이 야곱을 라반에게 보내다

46 ● 리브가가 이삭에게 이르되 내가 헷
사람의 딸들로 말미암아 내 삶이 싫어
졌거늘 야곱이 만일 이 땅의 딸들 곧
그들과 같은 헷 사람의 딸들 중에서 아
내를 맞이하면 내 삶이 내게 무슨 재미
가 있으리이까

28 이삭이 야곱을 불러 그에게 축
복하고 또 당부하여 이르되 너
는 가나안 사람의 딸들 중에서 아내를
맞이하지 말고
2 일어나 밧단아람으로 가서 네 외조부
브두엘의 집에 이르러 거기서 네 외삼
촌 라반의 딸 중에서 아내를 맞이하라
3 전능하신 하나님이 네게 복을 주시어
네가 생육하고 번성하게 하여 네가 여
러 족속을 이루게 하시고
4 아브라함에게 허락하신 복을 네게 주

42

43

44

45

이삭이 야곱을 라반에게 보내다

46 ●

28

2

3

4

시되 너와 너와 함께 네 자손에게도 주
사 하나님이 아브라함에게 주신 땅 곧
네가 거류하는 땅을 네가 차지하게 하
시기를 원하노라
5 이에 이삭이 야곱을 보내매 그가 밧단
아람으로 가서 라반에게 이르렀으니
라반은 아람 사람 브두엘의 아들이요
야곱과 에서의 어머니 리브가의 오라
비더라

에서가 다른 아내를 맞이하다

6 ●에서가 본즉 이삭이 야곱에게 축복
하고 그를 밧단아람으로 보내어 거기
서 아내를 맞이하게 하였고 또 그에게
축복하고 명하기를 너는 가나안 사람
의 딸들 중에서 아내를 맞이하지 말라
하였고
7 또 야곱이 부모의 명을 따라 밧단아람
으로 갔으며
8 에서가 또 본즉 가나안 사람의 딸들이
그의 아버지 이삭을 기쁘게 하지 못하
는지라
9 이에 에서가 이스마엘에게 가서 그 본
처들 외에 아브라함의 아들 이스마엘
의 딸이요 느바욧의 누이인 마할랏을
아내로 맞이하였더라

야곱이 벧엘에서 꿈을 꾸다

10 ●야곱이 브엘세바에서 떠나 하란으로
향하여 가더니
11 한 곳에 이르러는 해가 진지라 거기서
유숙하려고 그 곳의 한 돌을 가져다가
베개로 삼고 거기 누워 자더니

5

에서가 다른 아내를 맞이하다

6 ●

7

8

9

야곱이 벧엘에서 꿈을 꾸다

10 ●

11

12 꿈에 본즉 사닥다리가 땅 위에 서 있는
데 그 꼭대기가 하늘에 닿았고 또 본즉
하나님의 사자들이 그 위에서 오르락
내리락 하고
13 또 본즉 여호와께서 그 위에 서서 이르
시되 나는 여호와니 너의 조부 아브라
함의 하나님이요 이삭의 하나님이라
네가 누워 있는 땅을 내가 너와 네 자
손에게 주리니
14 네 자손이 땅의 티끌 같이 되어 네가
서쪽과 동쪽과 북쪽과 남쪽으로 퍼져
나갈지며 땅의 모든 족속이 너와 네 자
손으로 말미암아 복을 받으리라
15 내가 너와 함께 있어 네가 어디로 가든
지 너를 지키며 너를 이끌어 이 땅으로
돌아오게 할지라 내가 네게 허락한 것
을 다 이루기까지 너를 떠나지 아니하
리라 하신지라
16 야곱이 잠이 깨어 이르되 여호와께서
과연 여기 계시거늘 내가 알지 못하였
도다
17 이에 두려워하여 이르되 두렵도다 이
곳이여 이것은 다름 아닌 하나님의 집
이요 이는 하늘의 문이로다 하고
18 야곱이 아침에 일찍이 일어나 베개로
삼았던 돌을 가져다가 기둥으로 세우
고 그 위에 기름을 붓고
19 그 곳 이름을 벧엘이라 하였더라 이 성
의 옛 이름은 루스더라
20 야곱이 서원하여 이르되 하나님이 나
와 함께 계셔서 내가 가는 이 길에서

12

13

14

15

16

17

18

19

20

나를 지키시고 먹을 떡과 입을 옷을 주
시어
21 내가 평안히 아버지 집으로 돌아가게
하시오면 여호와께서 나의 하나님이
되실 것이요
22 내가 기둥으로 세운 이 돌이 하나님의
집이 될 것이요 하나님께서 내게 주신
모든 것에서 십분의 일을 내가 반드시
하나님께 드리겠나이다 하였더라

야곱이 라반의 집에 이르다

29 야곱이 길을 떠나 동방 사람의
땅에 이르러
2 본즉 들에 우물이 있고 그 곁에 양 세
떼가 누워 있으니 이는 목자들이 그 우
물에서 양 떼에게 물을 먹임이라 큰 돌
로 우물 아귀를 덮었다가
3 모든 떼가 모이면 그들이 우물 아귀에
서 돌을 옮기고 그 양 떼에게 물을 먹
이고는 우물 아귀 그 자리에 다시 그
돌을 덮더라
4 야곱이 그들에게 이르되 내 형제여 어
디서 왔느냐 그들이 이르되 하란에서
왔노라
5 야곱이 그들에게 이르되 너희가 나홀
의 손자 라반을 아느냐 그들이 이르되
아노라
6 야곱이 그들에게 이르되 그가 평안하
냐 이르되 평안하니라 그의 딸 라헬이
지금 양을 몰고 오느니라
7 야곱이 이르되 해가 아직 높은즉 가축
모일 때가 아니니 양에게 물을 먹이고

21

22

야곱이 라반의 집에 이르다

29

2

3

4

5

6

7

가서 풀을 뜯게 하라
8 그들이 이르되 우리가 그리하지 못하
겠노라 떼가 다 모이고 목자들이 우물
아귀에서 돌을 옮겨야 우리가 양에게
물을 먹이느니라
9 야곱이 그들과 말하는 동안에 라헬이
그의 아버지의 양과 함께 오니 그가 그
의 양들을 치고 있었기 때문이더라
10 야곱이 그의 외삼촌 라반의 딸 라헬과
그의 외삼촌의 양을 보고 나아가 우물
아귀에서 돌을 옮기고 외삼촌 라반의
양 떼에게 물을 먹이고
11 그가 라헬에게 입맞추고 소리 내어 울며
12 그에게 자기가 그의 아버지의 생질이
요 리브가의 아들 됨을 말하였더니 라
헬이 달려가서 그 아버지에게 알리매
13 라반이 그의 생질 야곱의 소식을 듣고
달려와서 그를 영접하여 안고 입맞추
며 자기 집으로 인도하여 들이니 야곱
이 자기의 모든 일을 라반에게 말하매
14 라반이 이르되 너는 참으로 내 혈육이
로다 하였더라 야곱이 한 달을 그와 함
께 거주하더니
15 라반이 야곱에게 이르되 네가 비록 내
생질이나 어찌 그저 내 일을 하겠느냐
네 품삯을 어떻게 할지 내게 말하라
16 라반에게 두 딸이 있으니 언니의 이름
은 레아요 아우의 이름은 라헬이라
17 레아는 시력이 약하고 라헬은 곱고 아
리따우니
18 야곱이 라헬을 더 사랑하므로 대답하

8

9

10

11
12

13

14

15

16

17

18

되 내가 외삼촌의 작은 딸 라헬을 위하
여 외삼촌에게 칠 년을 섬기리이다
19 라반이 이르되 그를 네게 주는 것이 타
인에게 주는 것보다 나으니 나와 함께
있으라
20 야곱이 라헬을 위하여 칠 년 동안 라반
을 섬겼으나 그를 사랑하는 까닭에 칠
년을 며칠 같이 여겼더라

야곱이 레아와 라헬을 아내로 맞다

21 ●야곱이 라반에게 이르되 내 기한이
찼으니 내 아내를 내게 주소서 내가 그
에게 들어가겠나이다
22 라반이 그 곳 사람을 다 모아 잔치하고
23 저녁에 그의 딸 레아를 야곱에게로 데
려가매 야곱이 그에게로 들어가니라
24 라반이 또 그의 여종 실바를 그의 딸
레아에게 시녀로 주었더라
25 야곱이 아침에 보니 레아라 라반에게
이르되 외삼촌이 어찌하여 내게 이같
이 행하셨나이까 내가 라헬을 위하여
외삼촌을 섬기지 아니하였나이까 외삼
촌이 나를 속이심은 어찌됨이니이까
26 라반이 이르되 언니보다 아우를 먼저
주는 것은 우리 지방에서 하지 아니하
는 바이라
27 이를 위하여 칠 일을 채우라 우리가 그
도 네게 주리니 네가 또 나를 칠 년 동
안 섬길지니라
28 야곱이 그대로 하여 그 칠 일을 채우매
라반이 딸 라헬도 그에게 아내로 주고
29 라반이 또 그의 여종 빌하를 그의 딸

19

20

야곱이 레아와 라헬을 아내로 맞다

21 ●

22

23

24

25

26

27

28

29

라헬에게 주어 시녀가 되게 하매
30 야곱이 또한 라헬에게로 들어갔고 그
가 레아보다 라헬을 더 사랑하여 다시
칠 년 동안 라반을 섬겼더라

야곱에게 아이들이 생기다

31 ●여호와께서 레아가 사랑 받지 못함
을 보시고 그의 태를 여셨으나 라헬은
자녀가 없었더라
32 레아가 임신하여 아들을 낳고 그 이름
을 르우벤이라 하여 이르되 여호와께서
나의 괴로움을 돌보셨으니 이제는 내
남편이 나를 사랑하리로다 하였더라
33 그가 다시 임신하여 아들을 낳고 이르
되 여호와께서 내가 사랑 받지 못함을
들으셨으므로 내게 이 아들도 주셨도다
하고 그의 이름을 시므온이라 하였으며
34 그가 또 임신하여 아들을 낳고 이르되
내가 그에게 세 아들을 낳았으니 내 남
편이 지금부터 나와 연합하리로다 하
고 그의 이름을 레위라 하였으며
35 그가 또 임신하여 아들을 낳고 이르되
내가 이제는 여호와를 찬송하리로다 하
고 이로 말미암아 그가 그의 이름을 유
다라 하였고 그의 출산이 멈추었더라

30 라헬이 자기가 야곱에게서 아들
을 낳지 못함을 보고 그의 언니
를 시기하여 야곱에게 이르되 내게 자
식을 낳게 하라 그렇지 아니하면 내가
죽겠노라
2 야곱이 라헬에게 성을 내어 이르되 그
대를 임신하지 못하게 하시는 이는 하

30

야곱에게 아이들이 생기다

31 ●

32

33

34

35

30

2

나님이시니 내가 하나님을 대신하겠
느냐
3 라헬이 이르되 내 여종 빌하에게로 들
어가라 그가 아들을 낳아 내 무릎에 두
리니 그러면 나도 그로 말미암아 자식
을 얻겠노라 하고
4 그의 시녀 빌하를 남편에게 아내로 주
매 야곱이 그에게로 들어갔더니
5 빌하가 임신하여 야곱에게 아들을 낳
은지라
6 라헬이 이르되 하나님이 내 억울함을
푸시려고 내 호소를 들으사 내게 아들
을 주셨다 하고 이로 말미암아 그의 이
름을 단이라 하였으며
7 라헬의 시녀 빌하가 다시 임신하여 둘
째 아들을 야곱에게 낳으매
8 라헬이 이르되 내가 언니와 크게 경쟁
하여 이겼다 하고 그의 이름을 납달리
라 하였더라
9 ●레아가 자기의 출산이 멈춤을 보고
그의 시녀 실바를 데려다가 야곱에게
주어 아내로 삼게 하였더니
10 레아의 시녀 실바가 야곱에게서 아들
을 낳으매
11 레아가 이르되 복되도다 하고 그의 이
름을 갓이라 하였으며
12 레아의 시녀 실바가 둘째 아들을 야곱
에게 낳으매
13 레아가 이르되 기쁘도다 모든 딸들이
나를 기쁜 자라 하리로다 하고 그의 이
름을 아셀이라 하였더라

3

4

5

6

7

8

9 ●

10

11

12

13

14 ●밀 거둘 때 르우벤이 나가서 들에서
합환채를 얻어 그의 어머니 레아에게
드렸더니 라헬이 레아에게 이르되 언
니의 아들의 합환채를 청구하노라
15 레아가 그에게 이르되 네가 내 남편을
빼앗은 것이 작은 일이냐 그런데 네가
내 아들의 합환채도 빼앗고자 하느냐
라헬이 이르되 그러면 언니의 아들의
합환채 대신에 오늘 밤에 내 남편이 언
니와 동침하리라 하니라
16 저물 때에 야곱이 들에서 돌아오매 레
아가 나와서 그를 영접하며 이르되 내
게로 들어오라 내가 내 아들의 합환채
로 당신을 샀노라 그 밤에 야곱이 그와
동침하였더라
17 하나님이 레아의 소원을 들으셨으므로
그가 임신하여 다섯째 아들을 야곱에
게 낳은지라
18 레아가 이르되 내가 내 시녀를 내 남편
에게 주었으므로 하나님이 내게 그 값
을 주셨다 하고 그의 이름을 잇사갈이
라 하였으며
19 레아가 다시 임신하여 여섯째 아들을
야곱에게 낳은지라
20 레아가 이르되 하나님이 내게 후한 선
물을 주시도다 내가 남편에게 여섯 아
들을 낳았으니 이제는 그가 나와 함께
살리라 하고 그의 이름을 스불론이라
하였으며
21 그 후에 그가 딸을 낳고 그의 이름을
디나라 하였더라

14 ●

15

16

17

18

19

20

21

22 하나님이 라헬을 생각하신지라 하나님
이 그의 소원을 들으시고 그의 태를 여
셨으므로
23 그가 임신하여 아들을 낳고 이르되 하
나님이 내 부끄러움을 씻으셨다 하고
24 그 이름을 요셉이라 하니 여호와는 다
시 다른 아들을 내게 더하시기를 원하
노라 하였더라

야곱이 라반과 품삯을 정하다

25 ●라헬이 요셉을 낳았을 때에 야곱이
라반에게 이르되 나를 보내어 내 고향
나의 땅으로 가게 하시되
26 내가 외삼촌에게서 일하고 얻은 처자
를 내게 주시어 나로 가게 하소서 내가
외삼촌에게 한 일은 외삼촌이 아시나
이다
27 라반이 그에게 이르되 여호와께서 너
로 말미암아 내게 복 주신 줄을 내가
깨달았노니 네가 나를 사랑스럽게 여
기거든 그대로 있으라
28 또 이르되 네 품삯을 정하라 내가 그것
을 주리라
29 야곱이 그에게 이르되 내가 어떻게 외
삼촌을 섬겼는지, 어떻게 외삼촌의 가
축을 쳤는지 외삼촌이 아시나이다
30 내가 오기 전에는 외삼촌의 소유가 적
더니 번성하여 떼를 이루었으니 내 발
이 이르는 곳마다 여호와께서 외삼촌
에게 복을 주셨나이다 그러나 나는 언
제나 내 집을 세우리이까
31 라반이 이르되 내가 무엇으로 네게 주

22

23

24

야곱이 라반과 품삯을 정하다

25 ●

26

27

28

29

30

31

라 야곱이 이르되 외삼촌께서 내게 아
무것도 주시지 않아도 나를 위하여 이
일을 행하시면 내가 다시 외삼촌의 양
떼를 먹이고 지키리이다
32 오늘 내가 외삼촌의 양 떼에 두루 다니
며 그 양 중에 아롱진 것과 점 있는 것
과 검은 것을 가려내며 또 염소 중에
점 있는 것과 아롱진 것을 가려내리니
이같은 것이 내 품삯이 되리이다
33 후일에 외삼촌께서 오셔서 내 품삯을
조사하실 때에 나의 의가 내 대답이 되
리이다 내게 혹시 염소 중 아롱지지 아
니한 것이나 점이 없는 것이나 양 중에
검지 아니한 것이 있거든 다 도둑질한
것으로 인정하소서
34 라반이 이르되 내가 네 말대로 하리라
하고
35 그 날에 그가 숫염소 중 얼룩무늬 있는
것과 점 있는 것을 가리고 암염소 중
흰 바탕에 아롱진 것과 점 있는 것을
가리고 양 중의 검은 것들을 가려 자기
아들들의 손에 맡기고
36 자기와 야곱의 사이를 사흘 길이 뜨게
하였고 야곱은 라반의 남은 양 떼를 치
니라
37 ●야곱이 버드나무와 살구나무와 신풍
나무의 푸른 가지를 가져다가 그것들
의 껍질을 벗겨 흰 무늬를 내고
38 그 껍질 벗긴 가지를 양 떼가 와서 먹
는 개천의 물 구유에 세워 양 떼를 향
하게 하매 그 떼가 물을 먹으러 올 때

32

33

34

35

36

37 ●

38

에 새끼를 배니
39 가지 앞에서 새끼를 배므로 얼룩얼룩한
것과 점이 있고 아롱진 것을 낳은지라
40 야곱이 새끼 양을 구분하고 그 얼룩무
늬와 검은 빛 있는 것을 라반의 양과
서로 마주보게 하며 자기 양을 따로 두
어 라반의 양과 섞이지 않게 하며
41 튼튼한 양이 새끼 밸 때에는 야곱이 개
천에다가 양 떼의 눈 앞에 그 가지를
두어 양이 그 가지 곁에서 새끼를 배게
하고
42 약한 양이면 그 가지를 두지 아니하니
그렇게 함으로 약한 것은 라반의 것이
되고 튼튼한 것은 야곱의 것이 된지라
43 이에 그 사람이 매우 번창하여 양 떼와
노비와 낙타와 나귀가 많았더라

야곱이 라반을 떠나다

31 야곱이 라반의 아들들이 하는 말
을 들은즉 야곱이 우리 아버지의
소유를 다 빼앗고 우리 아버지의 소유
로 말미암아 이 모든 재물을 모았다 하
는지라
2 야곱이 라반의 안색을 본즉 자기에게
대하여 전과 같지 아니하더라
3 여호와께서 야곱에게 이르시되 네 조
상의 땅 네 족속에게로 돌아가라 내가
너와 함께 있으리라 하신지라
4 야곱이 사람을 보내어 라헬과 레아를
자기 양 떼가 있는 들로 불러다가
5 그들에게 이르되 내가 그대들의 아버
지의 안색을 본즉 내게 대하여 전과 같

39
40
41
42
43
야곱이 라반을 떠나다
31
2
3
4
5

지 아니하도다 그러할지라도 내 아버
지의 하나님은 나와 함께 계셨느니라
6 그대들도 알거니와 내가 힘을 다하여 6
그대들의 아버지를 섬겼거늘
7 그대들의 아버지가 나를 속여 품삯을 7
열 번이나 변경하였느니라 그러나 하
나님이 그를 막으사 나를 해치지 못하
게 하셨으며
8 그가 이르기를 점 있는 것이 네 삯이 8
되리라 하면 온 양 떼가 낳은 것이 점
있는 것이요 또 얼룩무늬 있는 것이 네
삯이 되리라 하면 온 양 떼가 낳은 것
이 얼룩무늬 있는 것이니
9 하나님이 이같이 그대들의 아버지의 9
가축을 빼앗아 내게 주셨느니라
10 그 양 떼가 새끼 밸 때에 내가 꿈에 눈 10
을 들어 보니 양 떼를 탄 숫양은 다 얼
룩무늬 있는 것과 점 있는 것과 아롱진
것이었더라
11 꿈에 하나님의 사자가 내게 말씀하시 11
기를 야곱아 하기로 내가 대답하기를
여기 있나이다 하매
12 이르시되 네 눈을 들어 보라 양 떼를 12
탄 숫양은 다 얼룩무늬 있는 것, 점 있
는 것과 아롱진 것이니라 라반이 네게
행한 모든 것을 내가 보았노라
13 나는 벧엘의 하나님이라 네가 거기서 13
기둥에 기름을 붓고 거기서 내게 서원
하였으니 지금 일어나 이 곳을 떠나서
네 출생지로 돌아가라 하셨느니라
14 라헬과 레아가 그에게 대답하여 이르 14

되 우리가 우리 아버지 집에서 무슨 분
깃이나 유산이 있으리요
15 아버지가 우리를 팔고 우리의 돈을 다
먹어버렸으니 아버지가 우리를 외국인
처럼 여기는 것이 아닌가
16 하나님이 우리 아버지에게서 취하여
가신 재물은 우리와 우리 자식의 것이
니 이제 하나님이 당신에게 이르신 일
을 다 준행하라
17 ●야곱이 일어나 자식들과 아내들을
낙타들에게 태우고
18 그 모은 바 모든 가축과 모든 소유물
곧 그가 밧단아람에서 모은 가축을 이
끌고 가나안 땅에 있는 그의 아버지 이
삭에게로 가려 할새
19 그 때에 라반이 양털을 깎으러 갔으므
로 라헬은 그의 아버지의 드라빔을 도
둑질하고
20 야곱은 그 거취를 아람 사람 라반에게
말하지 아니하고 가만히 떠났더라
21 그가 그의 모든 소유를 이끌고 강을 건
너 길르앗 산을 향하여 도망한 지
22 삼 일 만에 야곱이 도망한 것이 라반에
게 들린지라
23 라반이 그의 형제를 거느리고 칠 일 길
을 쫓아가 길르앗 산에서 그에게 이르
렀더니
24 밤에 하나님이 아람 사람 라반에게 현
몽하여 이르시되 너는 삼가 야곱에게
선악간에 말하지 말라 하셨더라
25 라반이 야곱을 뒤쫓아 이르렀으니 야곱

이 그 산에 장막을 친지라 라반이 그 형
제와 더불어 길르앗 산에 장막을 치고
26 라반이 야곱에게 이르되 네가 나를 속
이고 내 딸들을 칼에 사로잡힌 자 같이
끌고 갔으니 어찌 이같이 하였느냐
27 내가 즐거움과 노래와 북과 수금으로
너를 보내겠거늘 어찌하여 네가 나를
속이고 가만히 도망하고 내게 알리지
아니하였으며
28 내가 내 손자들과 딸들에게 입맞추지
못하게 하였으니 네 행위가 참으로 어
리석도다
29 너를 해할 만한 능력이 내 손에 있으나
너희 아버지의 하나님이 어제 밤에 내
게 말씀하시기를 너는 삼가 야곱에게
선악간에 말하지 말라 하셨느니라
30 이제 네가 네 아버지 집을 사모하여 돌
아가려는 것은 옳거니와 어찌 내 신을
도둑질하였느냐
31 야곱이 라반에게 대답하여 이르되 내
가 생각하기를 외삼촌이 외삼촌의 딸
들을 내게서 억지로 빼앗으리라 하여
두려워하였음이니이다
32 외삼촌의 신을 누구에게서 찾든지 그
는 살지 못할 것이요 우리 형제들 앞에
서 무엇이든지 외삼촌의 것이 발견되
거든 외삼촌에게로 가져가소서 하니
야곱은 라헬이 그것을 도둑질한 줄을
알지 못함이었더라
33 라반이 야곱의 장막에 들어가고 레아
의 장막에 들어가고 두 여종의 장막에

26

27

28

29

30

31

32

33

들어갔으나 찾지 못하고 레아의 장막
에서 나와 라헬의 장막에 들어가매
34 라헬이 그 드라빔을 가져 낙타 안장 아
래에 넣고 그 위에 앉은지라 라반이 그
장막에서 찾다가 찾아내지 못하매
35 라헬이 그의 아버지에게 이르되 마침
생리가 있어 일어나서 영접할 수 없사
오니 내 주는 노하지 마소서 하니라 라
반이 그 드라빔을 두루 찾다가 찾아내
지 못한지라
36 야곱이 노하여 라반을 책망할새 야곱
이 라반에게 대답하여 이르되 내 허물
이 무엇이니이까 무슨 죄가 있기에 외
삼촌께서 내 뒤를 급히 추격하나이까
37 외삼촌께서 내 물건을 다 뒤져보셨으
니 외삼촌의 집안 물건 중에서 무엇을
찾아내었나이까 여기 내 형제와 외삼
촌의 형제 앞에 그것을 두고 우리 둘
사이에 판단하게 하소서
38 내가 이 이십 년을 외삼촌과 함께 하였
거니와 외삼촌의 암양들이나 암염소
들이 낙태하지 아니하였고 또 외삼촌
의 양 떼의 숫양을 내가 먹지 아니하였
으며
39 물려 찢긴 것은 내가 외삼촌에게로 가
져가지 아니하고 낮에 도둑을 맞았든
지 밤에 도둑을 맞았든지 외삼촌이 그
것을 내 손에서 찾았으므로 내가 스스
로 그것을 보충하였으며
40 내가 이와 같이 낮에는 더위와 밤에는
추위를 무릅쓰고 눈 붙일 겨를도 없이

34
35
36
37
38
39
40

지냈나이다
41 내가 외삼촌의 집에 있는 이 이십 년
동안 외삼촌의 두 딸을 위하여 십사
년, 외삼촌의 양 떼를 위하여 육 년을
외삼촌에게 봉사하였거니와 외삼촌께
서 내 품삯을 열 번이나 바꾸셨으며
42 우리 아버지의 하나님, 아브라함의 하
나님 곧 이삭이 경외하는 이가 나와 함
께 계시지 아니하셨더라면 외삼촌께서
이제 나를 빈손으로 돌려보내셨으리이
다마는 하나님이 내 고난과 내 손의 수
고를 보시고 어제 밤에 외삼촌을 책망
하셨나이다

야곱과 라반의 언약

43 ● 라반이 야곱에게 대답하여 이르되
딸들은 내 딸이요 자식들은 내 자식이
요 양 떼는 내 양 떼요 네가 보는 것은
다 내 것이라 내가 오늘 내 딸들과 그들
이 낳은 자식들에게 무엇을 하겠느냐
44 이제 오라 나와 네가 언약을 맺고 그것
으로 너와 나 사이에 증거를 삼을 것이
니라
45 이에 야곱이 돌을 가져다가 기둥으로
세우고
46 또 그 형제들에게 돌을 모으라 하니 그
들이 돌을 가져다가 무더기를 이루매
무리가 거기 무더기 곁에서 먹고
47 라반은 그것을 여갈사하두다라 불렀고
야곱은 그것을 갈르엣이라 불렀으니
48 라반의 말에 오늘 이 무더기가 너와 나
사이에 증거가 된다 하였으므로 그 이

41

42

야곱과 라반의 언약

43 ●

44

45

46

47

48

름을 갈르엣이라 불렀으며
49 또 미스바라 하였으니 이는 그의 말
에 우리가 서로 떠나 있을 때에 여호
와께서 나와 너 사이를 살피시옵소서
함이라
50 만일 네가 내 딸을 박대하거나 내 딸들
외에 다른 아내들을 맞이하면 우리와
함께 할 사람은 없어도 보라 하나님이
나와 너 사이에 증인이 되시느니라 함
이었더라
51 라반이 또 야곱에게 이르되 내가 나와
너 사이에 둔 이 무더기를 보라 또 이
기둥을 보라
52 이 무더기가 증거가 되고 이 기둥이 증
거가 되나니 내가 이 무더기를 넘어 네
게로 가서 해하지 않을 것이요 네가 이
무더기, 이 기둥을 넘어 내게로 와서
해하지 아니할 것이라
53 아브라함의 하나님, 나홀의 하나님, 그
들의 조상의 하나님은 우리 사이에 판
단하옵소서 하매 야곱이 그의 아버지
이삭이 경외하는 이를 가리켜 맹세하고
54 야곱이 또 산에서 제사를 드리고 형제
들을 불러 떡을 먹이니 그들이 떡을 먹
고 산에서 밤을 지내고
55 라반이 아침에 일찍이 일어나 손자들
과 딸들에게 입맞추며 그들에게 축복
하고 떠나 고향으로 돌아갔더라

야곱이 에서를 만날 준비를 하다

32 야곱이 길을 가는데 하나님의
사자들이 그를 만난지라

49

50

51

52

53

54

55

야곱이 에서를 만날 준비를 하다

32

2 야곱이 그들을 볼 때에 이르기를 이는
하나님의 군대라 하고 그 땅 이름을 마
하나임이라 하였더라
3 ●야곱이 세일 땅 에돔 들에 있는 형
에서에게로 자기보다 앞서 사자들을
보내며
4 그들에게 명령하여 이르되 너희는 내
주 에서에게 이같이 말하라 주의 종 야
곱이 이같이 말하기를 내가 라반과 함
께 거류하며 지금까지 머물러 있었사
오며
5 내게 소와 나귀와 양 떼와 노비가 있으
므로 사람을 보내어 내 주께 알리고 내
주께 은혜 받기를 원하나이다 하라 하
였더니
6 사자들이 야곱에게 돌아와 이르되 우
리가 주인의 형 에서에게 이른즉 그가
사백 명을 거느리고 주인을 만나려고
오더이다
7 야곱이 심히 두렵고 답답하여 자기와
함께 한 동행자와 양과 소와 낙타를 두
떼로 나누고
8 이르되 에서가 와서 한 떼를 치면 남은
한 떼는 피하리라 하고
9 야곱이 또 이르되 내 조부 아브라함의
하나님, 내 아버지 이삭의 하나님 여호
와여 주께서 전에 내게 명하시기를 네
고향, 네 족속에게로 돌아가라 내가 네
게 은혜를 베풀리라 하셨나이다
10 나는 주께서 주의 종에게 베푸신 모든
은총과 모든 진실하심을 조금도 감당

할 수 없사오나 내가 내 지팡이만 가지
고 이 요단을 건넜더니 지금은 두 떼나
이루었나이다
11 내가 주께 간구하오니 내 형의 손에서,
에서의 손에서 나를 건져내시옵소서 내
가 그를 두려워함은 그가 와서 나와 내
처자들을 칠까 겁이 나기 때문이니이다
12 주께서 말씀하시기를 내가 반드시 네
게 은혜를 베풀어 네 씨로 바다의 셀
수 없는 모래와 같이 많게 하리라 하셨
나이다

야곱이 브니엘에서 씨름을 하다

13 ●야곱이 거기서 밤을 지내고 그 소유
중에서 형 에서를 위하여 예물을 택
하니
14 암염소가 이백이요 숫염소가 이십이요
암양이 이백이요 숫양이 이십이요
15 젖 나는 낙타 삼십과 그 새끼요 암소가
사십이요 황소가 열이요 암나귀가 이
십이요 그 새끼 나귀가 열이라
16 그것을 각각 떼로 나누어 종들의 손에
맡기고 그의 종에게 이르되 나보다 앞
서 건너가서 각 떼로 거리를 두게 하라
하고
17 그가 또 앞선 자에게 명령하여 이르되
내 형 에서가 너를 만나 묻기를 네가
누구의 사람이며 어디로 가느냐 네 앞
의 것은 누구의 것이냐 하거든
18 대답하기를 주의 종 야곱의 것이요 자
기 주 에서에게로 보내는 예물이오며
야곱도 우리 뒤에 있나이다 하라 하고

11

12

야곱이 브니엘에서 씨름을 하다

13 ●

14

15

16

17

18

19 그 둘째와 셋째와 각 떼를 따라가는 자
에게 명령하여 이르되 너희도 에서를
만나거든 곧 이같이 그에게 말하고
20 또 너희는 말하기를 주의 종 야곱이 우
리 뒤에 있다 하라 하니 이는 야곱이
말하기를 내가 내 앞에 보내는 예물로
형의 감정을 푼 후에 대면하면 형이 혹
시 나를 받아 주리라 함이었더라
21 그 예물은 그에 앞서 보내고 그는 무리
가운데서 밤을 지내다가
22 밤에 일어나 두 아내와 두 여종과 열한
아들을 인도하여 얍복 나루를 건널새
23 그들을 인도하여 시내를 건너가게 하
며 그의 소유도 건너가게 하고
24 야곱은 홀로 남았더니 어떤 사람이 날
이 새도록 야곱과 씨름하다가
25 자기가 야곱을 이기지 못함을 보고 그
가 야곱의 허벅지 관절을 치매 야곱의
허벅지 관절이 그 사람과 씨름할 때에
어긋났더라
26 그가 이르되 날이 새려하니 나로 가게
하라 야곱이 이르되 당신이 내게 축복
하지 아니하면 가게 하지 아니하겠나
이다
27 그 사람이 그에게 이르되 네 이름이 무
엇이냐 그가 이르되 야곱이니이다
28 그가 이르되 네 이름을 다시는 야곱이
라 부를 것이 아니요 이스라엘이라 부
를 것이니 이는 네가 하나님과 및 사람
들과 겨루어 이겼음이니라
29 야곱이 청하여 이르되 당신의 이름을

19

20

21

22

23

24

25

26

27

28

29

알려주소서 그 사람이 이르되 어찌하
여 내 이름을 묻느냐 하고 거기서 야곱
에게 축복한지라
30 그러므로 야곱이 그 곳 이름을 브니엘
이라 하였으니 그가 이르기를 내가 하
나님과 대면하여 보았으나 내 생명이
보전되었다 함이더라
31 그가 브니엘을 지날 때에 해가 돋았고
그의 허벅다리로 말미암아 절었더라
32 그 사람이 야곱의 허벅지 관절에 있는
둔부의 힘줄을 쳤으므로 이스라엘 사
람들이 지금까지 허벅지 관절에 있는
둔부의 힘줄을 먹지 아니하더라

야곱이 에서를 만나다

33 야곱이 눈을 들어 보니 에서가
사백 명의 장정을 거느리고 오
고 있는지라 그의 자식들을 나누어 레
아와 라헬과 두 여종에게 맡기고
2 여종들과 그들의 자식들은 앞에 두고
레아와 그의 자식들은 다음에 두고 라
헬과 요셉은 뒤에 두고
3 자기는 그들 앞에서 나아가되 몸을 일
곱 번 땅에 굽히며 그의 형 에서에게
가까이 가니
4 에서가 달려와서 그를 맞이하여 안고
목을 어긋맞추어 그와 입맞추고 서로
우니라
5 에서가 눈을 들어 여인들과 자식들을
보고 묻되 너와 함께 한 이들은 누구냐
야곱이 이르되 하나님이 주의 종에게
은혜로 주신 자식들이니이다

30

31

32

야곱이 에서를 만나다

33

2

3

4

5

6 그 때에 여종들이 그의 자식들과 더불
어 나아와 절하고
7 레아도 그의 자식들과 더불어 나아와
절하고 그 후에 요셉이 라헬과 더불어
나아와 절하니
8 에서가 또 이르되 내가 만난 바 이 모
든 떼는 무슨 까닭이냐 야곱이 이르되
내 주께 은혜를 입으려 함이니이다
9 에서가 이르되 내 동생아 내게 있는 것
이 족하니 네 소유는 네게 두라
10 야곱이 이르되 그렇지 아니하니이다
내가 형님의 눈앞에서 은혜를 입었사
오면 청하건대 내 손에서 이 예물을 받
으소서 내가 형님의 얼굴을 뵈온즉 하
나님의 얼굴을 본 것 같사오며 형님도
나를 기뻐하심이니이다
11 하나님이 내게 은혜를 베푸셨고 내 소
유도 족하오니 청하건대 내가 형님께
드리는 예물을 받으소서 하고 그에게
강권하매 받으니라
12 에서가 이르되 우리가 떠나자 내가 너
와 동행하리라
13 야곱이 그에게 이르되 내 주도 아시거
니와 자식들은 연약하고 내게 있는 양
떼와 소가 새끼를 데리고 있은즉 하루
만 지나치게 몰면 모든 떼가 죽으리니
14 청하건대 내 주는 종보다 앞서 가소서
나는 앞에 가는 가축과 자식들의 걸음
대로 천천히 인도하여 세일로 가서 내
주께 나아가리이다
15 에서가 이르되 내가 내 종 몇 사람을

6

7

8

9

10

11

12

13

14

15

네게 머물게 하리라 야곱이 이르되 어
찌하여 그리하리이까 나로 내 주께 은
혜를 얻게 하소서 하매
16 이 날에 에서는 세일로 돌아가고
17 야곱은 숙곳에 이르러 자기를 위하여
집을 짓고 그의 가축을 위하여 우릿간
을 지었으므로 그 땅 이름을 숙곳이라
부르더라
18 ●야곱이 밧단아람에서부터 평안히 가
나안 땅 세겜 성읍에 이르러 그 성읍
앞에 장막을 치고
19 그가 장막을 친 밭을 세겜의 아버지 하
몰의 아들들의 손에서 백 크시타에 샀
으며
20 거기에 제단을 쌓고 그 이름을 엘엘로
헤이스라엘이라 불렀더라

디나가 부끄러운 일을 당하다

34 레아가 야곱에게 낳은 딸 디나가
그 땅의 딸들을 보러 나갔더니
2 히위 족속 중 하몰의 아들 그 땅의 추
장 세겜이 그를 보고 끌어들여 강간하
여 욕되게 하고
3 그 마음이 깊이 야곱의 딸 디나에게 연
연하며 그 소녀를 사랑하여 그의 마음
을 말로 위로하고
4 그의 아버지 하몰에게 청하여 이르되
이 소녀를 내 아내로 얻게 하여 주소서
하였더라
5 야곱이 그 딸 디나를 그가 더럽혔다 함
을 들었으나 자기의 아들들이 들에서
목축하므로 그들이 돌아오기까지 잠잠

16

17

18 ●

19

20

디나가 부끄러운 일을 당하다

34

2

3

4

5

하였고
6 세겜의 아버지 하몰은 야곱에게 말하
러 왔으며
7 야곱의 아들들은 들에서 이를 듣고 돌
아와서 그들 모두가 근심하고 심히 노
하였으니 이는 세겜이 야곱의 딸을 강
간하여 이스라엘에게 부끄러운 일 곧
행하지 못할 일을 행하였음이더라
8 하몰이 그들에게 이르되 내 아들 세겜
이 마음으로 너희 딸을 연연하여 하니
원하건대 그를 세겜에게 주어 아내로
삼게 하라
9 너희가 우리와 통혼하여 너희 딸을 우
리에게 주며 우리 딸을 너희가 데려가
고
10 너희가 우리와 함께 거주하되 땅이 너
희 앞에 있으니 여기 머물러 매매하며
여기서 기업을 얻으라 하고
11 세겜도 디나의 아버지와 그의 남자 형
제들에게 이르되 나로 너희에게 은혜
를 입게 하라 너희가 내게 말하는 것은
내가 다 주리니
12 이 소녀만 내게 주어 아내가 되게 하라
아무리 큰 혼수와 예물을 청할지라도
너희가 내게 말한 대로 주리라
13 야곱의 아들들이 세겜과 그의 아버지
하몰에게 속여 대답하였으니 이는 세
겜이 그 누이 디나를 더럽혔음이라
14 야곱의 아들들이 그들에게 말하되 우
리는 그리하지 못하겠노라 할례 받지
아니한 사람에게 우리 누이를 줄 수 없

6
7
8
9
10
11
12
13
14

노니 이는 우리의 수치가 됨이니라
15 그런즉 이같이 하면 너희에게 허락하
리라 만일 너희 중 남자가 다 할례를
받고 우리 같이 되면
16 우리 딸을 너희에게 주며 너희 딸을 우
리가 데려오며 너희와 함께 거주하여
한 민족이 되려니와
17 너희가 만일 우리 말을 듣지 아니하고
할례를 받지 아니하면 우리는 곧 우리
딸을 데리고 가리라
18 ●그들의 말을 하몰과 그의 아들 세겜
이 좋게 여기므로
19 이 소년이 그 일 행하기를 지체하지 아
니하였으니 그가 야곱의 딸을 사랑함
이며 그는 그의 아버지 집에서 가장 존
귀하였더라
20 하몰과 그의 아들 세겜이 그들의 성읍
문에 이르러 그들의 성읍 사람들에게
말하여 이르되
21 이 사람들은 우리와 친목하고 이 땅은
넓어 그들을 용납할 만하니 그들이 여
기서 거주하며 매매하게 하고 우리가
그들의 딸들을 아내로 데려오고 우리
딸들도 그들에게 주자
22 그러나 우리 중의 모든 남자가 그들이
할례를 받음 같이 할례를 받아야 그 사
람들이 우리와 함께 거주하여 한 민족
되기를 허락할 것이라
23 그러면 그들의 가축과 재산과 그들의
모든 짐승이 우리의 소유가 되지 않겠
느냐 다만 그들의 말대로 하자 그러면

15

16

17

18 ●

19

20

21

22

23

그들이 우리와 함께 거주하리라
24 성문으로 출입하는 모든 자가 하몰과
그의 아들 세겜의 말을 듣고 성문으로
출입하는 그 모든 남자가 할례를 받으
니라
25 제삼일에 아직 그들이 아파할 때에 야
곱의 두 아들 디나의 오라버니 시므온
과 레위가 각기 칼을 가지고 가서 몰래
그 성읍을 기습하여 그 모든 남자를 죽
이고
26 칼로 하몰과 그의 아들 세겜을 죽이고
디나를 세겜의 집에서 데려오고
27 야곱의 여러 아들이 그 시체 있는 성읍
으로 가서 노략하였으니 이는 그들이
그들의 누이를 더럽힌 까닭이라
28 그들이 양과 소와 나귀와 그 성읍에 있
는 것과 들에 있는 것과
29 그들의 모든 재물을 빼앗으며 그들의
자녀와 그들의 아내들을 사로잡고 집
속의 물건을 다 노략한지라
30 야곱이 시므온과 레위에게 이르되 너희
가 내게 화를 끼쳐 나로 하여금 이 땅의
주민 곧 가나안 족속과 브리스 족속에
게 악취를 내게 하였도다 나는 수가 적
은즉 그들이 모여 나를 치고 나를 죽이
리니 그러면 나와 내 집이 멸망하리라
31 그들이 이르되 그가 우리 누이를 창녀
같이 대우함이 옳으니이까

하나님이 야곱에게 복을 주시다

35 하나님이 야곱에게 이르시되 일
어나 벧엘로 올라가서 거기 거

24

25

26

27

28

29

30

31

하나님이 야곱에게 복을 주시다

35

주하며 네가 네 형 에서의 낯을 피하여
도망하던 때에 네게 나타났던 하나님
께 거기서 제단을 쌓으라 하신지라
2 야곱이 이에 자기 집안 사람과 자기와
함께 한 모든 자에게 이르되 너희 중에
있는 이방 신상들을 버리고 자신을 정
결하게 하고 너희들의 의복을 바꾸어
입으라
3 우리가 일어나 벧엘로 올라가자 내 환
난 날에 내게 응답하시며 내가 가는 길
에서 나와 함께 하신 하나님께 내가 거
기서 제단을 쌓으려 하노라 하매
4 그들이 자기 손에 있는 모든 이방 신상
들과 자기 귀에 있는 귀고리들을 야곱
에게 주는지라 야곱이 그것들을 세겜
근처 상수리나무 아래에 묻고
5 그들이 떠났으나 하나님이 그 사면 고
을들로 크게 두려워하게 하셨으므로
야곱의 아들들을 추격하는 자가 없었
더라
6 야곱과 그와 함께 한 모든 사람이 가나
안 땅 루스 곧 벧엘에 이르고
7 그가 거기서 제단을 쌓고 그 곳을 엘벧
엘이라 불렀으니 이는 그의 형의 낯을
피할 때에 하나님이 거기서 그에게 나
타나셨음이더라
8 리브가의 유모 드보라가 죽으매 그를
벧엘 아래에 있는 상수리나무 밑에 장
사하고 그 나무 이름을 알론바굿이라
불렀더라
9 ●야곱이 밧단아람에서 돌아오매 하나

2

3

4

5

6

7

8

9 ●

님이 다시 야곱에게 나타나사 그에게
복을 주시고
10 하나님이 그에게 이르시되 네 이름이
야곱이지마는 네 이름을 다시는 야곱
이라 부르지 않겠고 이스라엘이 네 이
름이 되리라 하시고 그가 그의 이름을
이스라엘이라 부르시고
11 하나님이 그에게 이르시되 나는 전능
한 하나님이라 생육하며 번성하라 한
백성과 백성들의 총회가 네게서 나오
고 왕들이 네 허리에서 나오리라
12 내가 아브라함과 이삭에게 준 땅을 네
게 주고 내가 네 후손에게도 그 땅을
주리라 하시고
13 하나님이 그와 말씀하시던 곳에서 그
를 떠나 올라가시는지라
14 야곱이 하나님이 자기와 말씀하시던
곳에 기둥 곧 돌 기둥을 세우고 그 위
에 전제물을 붓고 또 그 위에 기름을
붓고
15 하나님이 자기와 말씀하시던 곳의 이
름을 벧엘이라 불렀더라

라헬이 산고로 죽다

16 ●그들이 벧엘에서 길을 떠나 에브랏에
이르기까지 얼마간 거리를 둔 곳에서
라헬이 해산하게 되어 심히 고생하여
17 그가 난산할 즈음에 산파가 그에게 이
르되 두려워하지 말라 지금 네가 또 득
남하느니라 하매
18 그가 죽게 되어 그의 혼이 떠나려 할
때에 아들의 이름을 베노니라 불렀으

10

11

12

13

14

15

라헬이 산고로 죽다

16 ●

17

18

나 그의 아버지는 그를 베냐민이라 불
렀더라
19 라헬이 죽으매 에브랏 곧 베들레헴 길
에 장사되었고
20 야곱이 라헬의 묘에 비를 세웠더니 지
금까지 라헬의 묘비라 일컫더라
21 이스라엘이 다시 길을 떠나 에델 망대
를 지나 장막을 쳤더라
22 이스라엘이 그 땅에 거주할 때에 르우
벤이 가서 그 아버지의 첩 빌하와 동침
하매 이스라엘이 이를 들었더라

야곱의 아들들

●야곱의 아들은 열둘이라
23 레아의 아들들은 야곱의 장자 르우벤
과 그 다음 시므온과 레위와 유다와 잇
사갈과 스불론이요
24 라헬의 아들들은 요셉과 베냐민이며
25 라헬의 여종 빌하의 아들들은 단과 납
달리요
26 레아의 여종 실바의 아들들은 갓과 아
셀이니 이들은 야곱의 아들들이요 밧
단아람에서 그에게 낳은 자더라

이삭이 죽다

27 ●야곱이 기럇아르바의 마므레로 가서
그의 아버지 이삭에게 이르렀으니 기
럇아르바는 곧 아브라함과 이삭이 거
류하던 헤브론이더라
28 이삭의 나이가 백팔십 세라
29 이삭이 나이가 많고 늙어 기운이 다하매
죽어 자기 열조에게로 돌아가니 그의 아
들 에서와 야곱이 그를 장사하였더라

19

20

21

22

야곱의 아들들

●

23

24

25

26

이삭이 죽다

27 ●

28

29

에서의 자손

36 에서 곧 에돔의 족보는 이러하
니라
2 에서가 가나안 여인 중 헷 족속 엘론의
딸 아다와 히위 족속 시브온의 딸인 아
나의 딸 오홀리바마를 자기 아내로 맞
이하고
3 또 이스마엘의 딸 느바욧의 누이 바스
맛을 맞이하였더니
4 아다는 엘리바스를 에서에게 낳았고
바스맛은 르우엘을 낳았고
5 오홀리바마는 여우스와 얄람과 고라를
낳았으니 이들은 에서의 아들들이요
가나안 땅에서 그에게 태어난 자들이
더라
6 에서가 자기 아내들과 자기 자녀들과
자기 집의 모든 사람과 자기의 가축과
자기의 모든 짐승과 자기가 가나안 땅
에서 모은 모든 재물을 이끌고 그의 동
생 야곱을 떠나 다른 곳으로 갔으니
7 두 사람의 소유가 풍부하여 함께 거주
할 수 없음이러라 그들이 거주하는 땅
이 그들의 가축으로 말미암아 그들을
용납할 수 없었더라
8 이에 에서 곧 에돔이 세일 산에 거주하
니라
9 ●세일 산에 있는 에돔 족속의 조상 에
서의 족보는 이러하고
10 그 자손의 이름은 이러하니라 에서의
아내 아다의 아들은 엘리바스요 에서
의 아내 바스맛의 아들은 르우엘이며

에서의 자손

36
2
3
4
5
6
7
8
9 ●
10

11 엘리바스의 아들들은 데만과 오말과
스보와 가담과 그나스요
12 에서의 아들 엘리바스의 첩 딤나는 아
말렉을 엘리바스에게 낳았으니 이들은
에서의 아내 아다의 자손이며
13 르우엘의 아들들은 나핫과 세라와 삼
마와 미사니 이들은 에서의 아내 바스
맛의 자손이며
14 시브온의 손녀 아나의 딸 에서의 아내
오홀리바마의 아들들은 이러하니 그가
여우스와 얄람과 고라를 에서에게 낳
았더라
15 ●에서 자손 중 족장은 이러하니라 에
서의 장자 엘리바스의 자손으로는 데
만 족장, 오말 족장, 스보 족장, 그나스
족장과
16 고라 족장, 가담 족장, 아말렉 족장이
니 이들은 에돔 땅에 있는 엘리바스의
족장들이요 이들은 아다의 자손이며
17 에서의 아들 르우엘의 자손으로는 나
핫 족장, 세라 족장, 삼마 족장, 미사
족장이니 이들은 에돔 땅에 있는 르우
엘의 족장들이요 이들은 에서의 아내
바스맛의 자손이며
18 에서의 아내인 오홀리바마의 아들들은
여우스 족장, 얄람 족장, 고라 족장이
니 이들은 아나의 딸이요 에서의 아내
인 오홀리바마로 말미암아 나온 족장
들이라
19 에서 곧 에돔의 자손으로서 족장 된 자
들이 이러하였더라

11

12

13

14

15 ●

16

17

18

19

세일의 자손

20 ●그 땅의 주민 호리 족속 세일의 자손
은 로단과 소발과 시브온과 아나와
21 디손과 에셀과 디산이니 이들은 에돔
땅에 있는 세일의 자손 중 호리 족속의
족장들이요
22 로단의 자녀는 호리와 헤맘과 로단의
누이 딤나요
23 소발의 자녀는 알완과 마나핫과 에발
과 스보와 오남이요
24 시브온의 자녀는 아야와 아나며 이 아
나는 그 아버지 시브온의 나귀를 칠 때
에 광야에서 온천을 발견하였고
25 아나의 자녀는 디손과 오홀리바마니
오홀리바마는 아나의 딸이며
26 디손의 자녀는 헴단과 에스반과 이드
란과 그란이요
27 에셀의 자녀는 빌한과 사아완과 아간
이요
28 디산의 자녀는 우스와 아란이니
29 호리 족속의 족장들은 곧 로단 족장,
소발 족장, 시브온 족장, 아나 족장,
30 디손 족장, 에셀 족장, 디산 족장이라
이들은 그들의 족속들에 따라 세일 땅
에 있는 호리 족속의 족장들이었더라

에돔의 왕들

31 ●이스라엘 자손을 다스리는 왕이 있
기 전에 에돔 땅을 다스리던 왕들은 이
러하니라
32 브올의 아들 벨라가 에돔의 왕이 되었
으니 그 도성의 이름은 딘하바며

세일의 자손

20 ●
21
22
23
24
25
26
27
28
29
30

에돔의 왕들

31 ●
32

33 벨라가 죽고 보스라 사람 세라의 아들
요밥이 그를 대신하여 왕이 되었고
34 요밥이 죽고 데만 족속의 땅의 후삼이
그를 대신하여 왕이 되었고
35 후삼이 죽고 브닷의 아들 곧 모압 들에
서 미디안 족속을 친 하닷이 그를 대신
하여 왕이 되었으니 그 도성 이름은 아
윗이며
36 하닷이 죽고 마스레가의 삼라가 그를
대신하여 왕이 되었고
37 삼라가 죽고 유브라데 강변 르호봇의
사울이 그를 대신하여 왕이 되었고
38 사울이 죽고 악볼의 아들 바알하난이
그를 대신하여 왕이 되었고
39 악볼의 아들 바알하난이 죽고 하달이
그를 대신하여 왕이 되었으니 그 도성
이름은 바우며 그의 아내의 이름은 므
헤다벨이니 마드렛의 딸이요 메사합의
손녀더라
40 ●에서에게서 나온 족장들의 이름은
그 종족과 거처와 이름을 따라 나누면
이러하니 딤나 족장, 알와 족장, 여뎃
족장,
41 오홀리바마 족장, 엘라 족장, 비논 족장,
42 그나스 족장, 데만 족장, 밉살 족장,
43 막디엘 족장, 이람 족장이라 이들은 그
구역과 거처를 따른 에돔 족장들이며
에돔 족속의 조상은 에서더라

요셉과 형제들

37 야곱이 가나안 땅 곧 그의 아버지
가 거류하던 땅에 거주하였으니

33

34

35

36

37

38

39

40 ●

41

42

43

요셉과 형제들

37

2 야곱의 족보는 이러하니라 요셉이 십
칠 세의 소년으로서 그의 형들과 함께
양을 칠 때에 그의 아버지의 아내들 빌
하와 실바의 아들들과 더불어 함께 있
었더니 그가 그들의 잘못을 아버지에
게 말하더라
3 요셉은 노년에 얻은 아들이므로 이스라
엘이 여러 아들들보다 그를 더 사랑하
므로 그를 위하여 채색옷을 지었더니
4 그의 형들이 아버지가 형들보다 그를
더 사랑함을 보고 그를 미워하여 그에
게 편안하게 말할 수 없었더라
5 ●요셉이 꿈을 꾸고 자기 형들에게 말
하매 그들이 그를 더욱 미워하였더라
6 요셉이 그들에게 이르되 청하건대 내
가 꾼 꿈을 들으시오
7 우리가 밭에서 곡식 단을 묶더니 내 단
은 일어서고 당신들의 단은 내 단을 둘
러서서 절하더이다
8 그의 형들이 그에게 이르되 네가 참으
로 우리의 왕이 되겠느냐 참으로 우리
를 다스리게 되겠느냐 하고 그의 꿈과
그의 말로 말미암아 그를 더욱 미워하
더니
9 요셉이 다시 꿈을 꾸고 그의 형들에게
말하여 이르되 내가 또 꿈을 꾼즉 해
와 달과 열한 별이 내게 절하더이다
하니라
10 그가 그의 꿈을 아버지와 형들에게 말
하매 아버지가 그를 꾸짖고 그에게 이
르되 네가 꾼 꿈이 무엇이냐 나와 네

어머니와 네 형들이 참으로 가서 땅에
엎드려 네게 절하겠느냐
11 그의 형들은 시기하되 그의 아버지는
그 말을 간직해 두었더라

요셉이 애굽으로 팔려가다

12 ●그의 형들이 세겜에 가서 아버지의
양 떼를 칠 때에
13 이스라엘이 요셉에게 이르되 네 형들
이 세겜에서 양을 치지 아니하느냐 너
를 그들에게로 보내리라 요셉이 아버
지에게 대답하되 내가 그리하겠나이다
14 이스라엘이 그에게 이르되 가서 네 형
들과 양 떼가 다 잘 있는지를 보고 돌아
와 내게 말하라 하고 그를 헤브론 골짜
기에서 보내니 그가 세겜으로 가니라
15 어떤 사람이 그를 만난즉 그가 들에서
방황하는지라 그 사람이 그에게 물어
이르되 네가 무엇을 찾느냐
16 그가 이르되 내가 내 형들을 찾으오니
청하건대 그들이 양치는 곳을 내게 가
르쳐 주소서
17 그 사람이 이르되 그들이 여기서 떠났
느니라 내가 그들의 말을 들으니 도단
으로 가자 하더라 하니라 요셉이 그의
형들의 뒤를 따라 가서 도단에서 그들
을 만나니라
18 ●요셉이 그들에게 가까이 오기 전에
그들이 요셉을 멀리서 보고 죽이기를
꾀하여
19 서로 이르되 꿈 꾸는 자가 오는도다
20 자, 그를 죽여 한 구덩이에 던지고 우

11

요셉이 애굽으로 팔려가다

12 ●

13

14

15

16

17

18 ●

19

20

리가 말하기를 악한 짐승이 그를 잡아
먹었다 하자 그의 꿈이 어떻게 되는지
를 우리가 볼 것이니라 하는지라
21 르우벤이 듣고 요셉을 그들의 손에서
구원하려 하여 이르되 우리가 그의 생
명은 해치지 말자
22 르우벤이 또 그들에게 이르되 피를 흘
리지 말라 그를 광야 그 구덩이에 던지
고 손을 그에게 대지 말라 하니 이는
그가 요셉을 그들의 손에서 구출하여
그의 아버지에게로 돌려보내려 함이었
더라
23 요셉이 형들에게 이르매 그의 형들이
요셉의 옷 곧 그가 입은 채색옷을 벗기
고
24 그를 잡아 구덩이에 던지니 그 구덩이
는 빈 것이라 그 속에 물이 없었더라
25 ●그들이 앉아 음식을 먹다가 눈을 들
어 본즉 한 무리의 이스마엘 사람들이
길르앗에서 오는데 그 낙타들에 향품
과 유향과 몰약을 싣고 애굽으로 내려
가는지라
26 유다가 자기 형제에게 이르되 우리가
우리 동생을 죽이고 그의 피를 덮어둔
들 무엇이 유익할까
27 자 그를 이스마엘 사람들에게 팔고 그
에게 우리 손을 대지 말자 그는 우리의
동생이요 우리의 혈육이니라 하매 그
의 형제들이 청종하였더라
28 그 때에 미디안 사람 상인들이 지나가
고 있는지라 형들이 요셉을 구덩이에

서 끌어올리고 은 이십에 그를 이스마
엘 사람들에게 팔매 그 상인들이 요셉
을 데리고 애굽으로 갔더라
29 ●르우벤이 돌아와 구덩이에 이르러
본즉 거기 요셉이 없는지라 옷을 찢고
30 아우들에게로 되돌아와서 이르되 아이
가 없도다 나는 어디로 갈까
31 그들이 요셉의 옷을 가져다가 숫염소
를 죽여 그 옷을 피에 적시고
32 그의 채색옷을 보내어 그의 아버지에
게로 가지고 가서 이르기를 우리가 이
것을 발견하였으니 아버지 아들의 옷
인가 보소서 하매
33 아버지가 그것을 알아보고 이르되 내
아들의 옷이라 악한 짐승이 그를 잡아
먹었도다 요셉이 분명히 찢겼도다 하고
34 자기 옷을 찢고 굵은 베로 허리를 묶고
오래도록 그의 아들을 위하여 애통하니
35 그의 모든 자녀가 위로하되 그가 그 위
로를 받지 아니하여 이르되 내가 슬퍼
하며 스올로 내려가 아들에게로 가리
라 하고 그의 아버지가 그를 위하여 울
었더라
36 그 미디안 사람들은 그를 애굽에서 바
로의 신하 친위대장 보디발에게 팔았
더라

유다와 다말

38 그 후에 유다가 자기 형제들로
부터 떠나 내려가서 아둘람 사
람 히라와 가까이 하니라
2 유다가 거기서 가나안 사람 수아라 하

29 ●

30

31

32

33

34

35

36

유다와 다말

38

2

는 자의 딸을 보고 그를 데리고 동침하
니
3 그가 임신하여 아들을 낳으매 유다가
그의 이름을 엘이라 하니라
4 그가 다시 임신하여 아들을 낳고 그의
이름을 오난이라 하고
5 그가 또 다시 아들을 낳고 그의 이름을
셀라라 하니라 그가 셀라를 낳을 때에
유다는 거십에 있었더라
6 유다가 장자 엘을 위하여 아내를 데려
오니 그의 이름은 다말이더라
7 유다의 장자 엘이 여호와가 보시기에
악하므로 여호와께서 그를 죽이신지라
8 유다가 오난에게 이르되 네 형수에게
로 들어가서 남편의 아우 된 본분을 행
하여 네 형을 위하여 씨가 있게 하라
9 오난이 그 씨가 자기 것이 되지 않을
줄 알므로 형수에게 들어갔을 때에 그
의 형에게 씨를 주지 아니하려고 땅에
설정하매
10 그 일이 여호와가 보시기에 악하므로
여호와께서 그도 죽이시니
11 유다가 그의 며느리 다말에게 이르되
수절하고 네 아버지 집에 있어 내 아들
셀라가 장성하기를 기다리라 하니 셀라
도 그 형들 같이 죽을까 염려함이라 다
말이 가서 그의 아버지 집에 있으니라
12 ●얼마 후에 유다의 아내 수아의 딸이
죽은지라 유다가 위로를 받은 후에 그
의 친구 아둘람 사람 히라와 함께 딤나
로 올라가서 자기의 양털 깎는 자에게

3
4
5
6
7
8
9
10
11
12 ●

이르렀더니
13 어떤 사람이 다말에게 말하되 네 시아
버지가 자기의 양털을 깎으려고 딤나
에 올라왔다 한지라
14 그가 그 과부의 의복을 벗고 너울로 얼
굴을 가리고 몸을 휩싸고 딤나 길 곁
에나임 문에 앉으니 이는 셀라가 장성
함을 보았어도 자기를 그의 아내로 주
지 않음으로 말미암음이라
15 그가 얼굴을 가리었으므로 유다가 그
를 보고 창녀로 여겨
16 길 곁으로 그에게 나아가 이르되 청하
건대 나로 네게 들어가게 하라 하니 그
의 며느리인 줄을 알지 못하였음이라
그가 이르되 당신이 무엇을 주고 내게
들어오려느냐
17 유다가 이르되 내가 내 떼에서 염소 새
끼를 주리라 그가 이르되 당신이 그것
을 줄 때까지 담보물을 주겠느냐
18 유다가 이르되 무슨 담보물을 네게 주
랴 그가 이르되 당신의 도장과 그 끈과
당신의 손에 있는 지팡이로 하라 유다
가 그것들을 그에게 주고 그에게로 들
어갔더니 그가 유다로 말미암아 임신
하였더라
19 그가 일어나 떠나가서 그 너울을 벗고
과부의 의복을 도로 입으니라
20 유다가 그 친구 아둘람 사람의 손에 부
탁하여 염소 새끼를 보내고 그 여인의
손에서 담보물을 찾으려 하였으나 그
가 그 여인을 찾지 못한지라

21 그가 그 곳 사람에게 물어 이르되 길 곁
에나임에 있던 창녀가 어디 있느냐 그
들이 이르되 여기는 창녀가 없느니라
22 그가 유다에게로 돌아와 이르되 내가
그를 찾지 못하였고 그 곳 사람도 이르
기를 거기에는 창녀가 없다 하더이다
하더라
23 유다가 이르되 그로 그것을 가지게 두
라 우리가 부끄러움을 당할까 하노라
내가 이 염소 새끼를 보냈으나 그대가
그를 찾지 못하였느니라
24 석 달쯤 후에 어떤 사람이 유다에게 일
러 말하되 네 며느리 다말이 행음하였
고 그 행음함으로 말미암아 임신하였
느니라 유다가 이르되 그를 끌어내어
불사르라
25 여인이 끌려나갈 때에 사람을 보내어
시아버지에게 이르되 이 물건 임자로
말미암아 임신하였나이다 청하건대 보
소서 이 도장과 그 끈과 지팡이가 누구
의 것이니이까 한지라
26 유다가 그것들을 알아보고 이르되 그는
나보다 옳도다 내가 그를 내 아들 셀라
에게 주지 아니하였음이로다 하고 다시
는 그를 가까이 하지 아니하였더라
27 해산할 때에 보니 쌍태라
28 해산할 때에 손이 나오는지라 산파가
이르되 이는 먼저 나온 자라 하고 홍색
실을 가져다가 그 손에 매었더니
29 그 손을 도로 들이며 그의 아우가 나오
는지라 산파가 이르되 네가 어찌하여

터뜨리고 나오느냐 하였으므로 그 이
름을 베레스라 불렀고
30 그의 형 곧 손에 홍색 실 있는 자가 뒤에
나오니 그의 이름을 세라라 불렀더라

요셉과 보디발의 아내

39 요셉이 이끌려 애굽에 내려가매
바로의 신하 친위대장 애굽 사
람 보디발이 그를 그리로 데려간 이스
마엘 사람의 손에서 요셉을 사니라
2 여호와께서 요셉과 함께 하시므로 그
가 형통한 자가 되어 그의 주인 애굽
사람의 집에 있으니
3 그의 주인이 여호와께서 그와 함께 하
심을 보며 또 여호와께서 그의 범사에
형통하게 하심을 보았더라
4 요셉이 그의 주인에게 은혜를 입어 섬
기매 그가 요셉을 가정 총무로 삼고 자
기의 소유를 다 그의 손에 위탁하니
5 그가 요셉에게 자기의 집과 그의 모든
소유물을 주관하게 한 때부터 여호와께
서 요셉을 위하여 그 애굽 사람의 집에
복을 내리시므로 여호와의 복이 그의
집과 밭에 있는 모든 소유에 미친지라
6 주인이 그의 소유를 다 요셉의 손에 위
탁하고 자기가 먹는 음식 외에는 간섭
하지 아니하였더라 요셉은 용모가 빼
어나고 아름다웠더라
7 ●그 후에 그의 주인의 아내가 요셉에
게 눈짓하다가 동침하기를 청하니
8 요셉이 거절하며 자기 주인의 아내에
게 이르되 내 주인이 집안의 모든 소유

30

요셉과 보디발의 아내

39

2

3

4

5

6

7 ●

8

를 간섭하지 아니하고 다 내 손에 위탁
하였으니
9 이 집에는 나보다 큰 이가 없으며 주인
이 아무것도 내게 금하지 아니하였어
도 금한 것은 당신뿐이니 당신은 그의
아내임이라 그런즉 내가 어찌 이 큰 악
을 행하여 하나님께 죄를 지으리이까
10 여인이 날마다 요셉에게 청하였으나
요셉이 듣지 아니하여 동침하지 아니
할 뿐더러 함께 있지도 아니하니라
11 그러할 때에 요셉이 그의 일을 하러 그
집에 들어갔더니 그 집 사람들은 하나
도 거기에 없었더라
12 그 여인이 그의 옷을 잡고 이르되 나와
동침하자 그러나 요셉이 자기의 옷을 그
여인의 손에 버려두고 밖으로 나가매
13 그 여인이 요셉이 그의 옷을 자기 손에
버려두고 도망하여 나감을 보고
14 그 여인의 집 사람들을 불러서 그들에
게 이르되 보라 주인이 히브리 사람을
우리에게 데려다가 우리를 희롱하게 하
는도다 그가 나와 동침하고자 내게로
들어오므로 내가 크게 소리 질렀더니
15 그가 나의 소리 질러 부름을 듣고 그의
옷을 내게 버려두고 도망하여 나갔느
니라 하고
16 그의 옷을 곁에 두고 자기 주인이 집으
로 돌아오기를 기다려
17 이 말로 그에게 말하여 이르되 당신이
우리에게 데려온 히브리 종이 나를 희
롱하려고 내게로 들어왔으므로

9

10

11

12

13

14

15

16

17

18 내가 소리 질러 불렀더니 그가 그의 옷
을 내게 버려두고 밖으로 도망하여 나
갔나이다
19 ●그의 주인이 자기 아내가 자기에게
이르기를 당신의 종이 내게 이같이 행
하였다 하는 말을 듣고 심히 노한지라
20 이에 요셉의 주인이 그를 잡아 옥에 가
두니 그 옥은 왕의 죄수를 가두는 곳이
었더라 요셉이 옥에 갇혔으나
21 여호와께서 요셉과 함께 하시고 그에
게 인자를 더하사 간수장에게 은혜를
받게 하시매
22 간수장이 옥중 죄수를 다 요셉의 손에
맡기므로 그 제반 사무를 요셉이 처리
하고
23 간수장은 그의 손에 맡긴 것을 무엇이
든지 살펴보지 아니하였으니 이는 여호
와께서 요셉과 함께 하심이라 여호와께
서 그를 범사에 형통하게 하셨더라

요셉이 관원장의 꿈을 해석하다

40 그 후에 애굽 왕의 술 맡은 자와
떡 굽는 자가 그들의 주인 애굽
왕에게 범죄한지라
2 바로가 그 두 관원장 곧 술 맡은 관원
장과 떡 굽는 관원장에게 노하여
3 그들을 친위대장의 집 안에 있는 옥에
가두니 곧 요셉이 갇힌 곳이라
4 친위대장이 요셉에게 그들을 수종들게
하매 요셉이 그들을 섬겼더라 그들이
갇힌 지 여러 날이라
5 옥에 갇힌 애굽 왕의 술 맡은 자와 떡

18

19 ●

20

21

22

23

요셉이 관원장의 꿈을 해석하다

40

2

3

4

5

굽는 자 두 사람이 하룻밤에 꿈을 꾸니
각기 그 내용이 다르더라
6 아침에 요셉이 들어가 보니 그들에게
근심의 빛이 있는지라
7 요셉이 그 주인의 집에 자기와 함께 갇
힌 바로의 신하들에게 묻되 어찌하여
오늘 당신들의 얼굴에 근심의 빛이 있
나이까
8 그들이 그에게 이르되 우리가 꿈을 꾸
었으나 이를 해석할 자가 없도다 요셉
이 그들에게 이르되 해석은 하나님께
있지 아니하니이까 청하건대 내게 이
르소서
9 ●술 맡은 관원장이 그의 꿈을 요셉에
게 말하여 이르되 내가 꿈에 보니 내
앞에 포도나무가 있는데
10 그 나무에 세 가지가 있고 싹이 나서
꽃이 피고 포도송이가 익었고
11 내 손에 바로의 잔이 있기로 내가 포도
를 따서 그 즙을 바로의 잔에 짜서 그
잔을 바로의 손에 드렸노라
12 요셉이 그에게 이르되 그 해석이 이러
하니 세 가지는 사흘이라
13 지금부터 사흘 안에 바로가 당신의 머
리를 들고 당신의 전직을 회복시키리
니 당신이 그 전에 술 맡은 자가 되었
을 때에 하던 것 같이 바로의 잔을 그
의 손에 드리게 되리이다
14 당신이 잘 되시거든 나를 생각하고 내
게 은혜를 베풀어서 내 사정을 바로에
게 아뢰어 이 집에서 나를 건져 주소서

6

7

8

9 ●

10

11

12

13

14

15 나는 히브리 땅에서 끌려온 자요 여기
서도 옥에 갇힐 일은 행하지 아니하였
나이다
16 ●떡 굽는 관원장이 그 해석이 좋은 것
을 보고 요셉에게 이르되 나도 꿈에 보
니 흰 떡 세 광주리가 내 머리에 있고
17 맨 윗광주리에 바로를 위하여 만든 각
종 구운 음식이 있는데 새들이 내 머리
의 광주리에서 그것을 먹더라
18 요셉이 대답하여 이르되 그 해석은 이
러하니 세 광주리는 사흘이라
19 지금부터 사흘 안에 바로가 당신의 머
리를 들고 당신을 나무에 달리니 새들
이 당신의 고기를 뜯어 먹으리이다 하
더니
20 제삼일은 바로의 생일이라 바로가 그의
모든 신하를 위하여 잔치를 베풀 때에
술 맡은 관원장과 떡 굽는 관원장에게
그의 신하들 중에 머리를 들게 하니라
21 바로의 술 맡은 관원장은 전직을 회복
하매 그가 잔을 바로의 손에 받들어 드
렸고
22 떡 굽는 관원장은 매달리니 요셉이 그
들에게 해석함과 같이 되었으나
23 술 맡은 관원장이 요셉을 기억하지 못
하고 그를 잊었더라

요셉이 바로의 꿈을 해석하다

41 만 이 년 후에 바로가 꿈을 꾼즉
자기가 나일 강 가에 서 있는데
2 보니 아름답고 살진 일곱 암소가 강 가
에서 올라와 갈밭에서 뜯어먹고

15

16 ●

17

18

19

20

21

22

23

요셉이 바로의 꿈을 해석하다

41

2

3 그 뒤에 또 흉하고 파리한 다른 일곱
암소가 나일 강 가에서 올라와 그 소와
함께 나일 강 가에 서 있더니
4 그 흉하고 파리한 소가 그 아름답고 살
진 일곱 소를 먹은지라 바로가 곧 깨었
다가
5 다시 잠이 들어 꿈을 꾸니 한 줄기에
무성하고 충실한 일곱 이삭이 나오고
6 그 후에 또 가늘고 동풍에 마른 일곱
이삭이 나오더니
7 그 가는 일곱 이삭이 무성하고 충실한
일곱 이삭을 삼킨지라 바로가 깬즉 꿈
이라
8 아침에 그의 마음이 번민하여 사람을
보내어 애굽의 점술가와 현인들을 모
두 불러 그들에게 그의 꿈을 말하였으
나 그것을 바로에게 해석하는 자가 없
었더라
9 ●술 맡은 관원장이 바로에게 말하여
이르되 내가 오늘 내 죄를 기억하나이
다
10 바로께서 종들에게 노하사 나와 떡 굽
는 관원장을 친위대장의 집에 가두셨
을 때에
11 나와 그가 하룻밤에 꿈을 꾼즉 각기 뜻
이 있는 꿈이라
12 그 곳에 친위대장의 종 된 히브리 청년
이 우리와 함께 있기로 우리가 그에게
말하매 그가 우리의 꿈을 풀되 그 꿈대
로 각 사람에게 해석하더니
13 그 해석한 대로 되어 나는 복직되고 그

3

4

5

6

7

8

9 ●

10

11

12

13

는 매달렸나이다
14 ●이에 바로가 사람을 보내어 요셉을
부르매 그들이 급히 그를 옥에서 내 놓
은지라 요셉이 곧 수염을 깎고 그의 옷
을 갈아 입고 바로에게 들어가니
15 바로가 요셉에게 이르되 내가 한 꿈을
꾸었으나 그것을 해석하는 자가 없더
니 들은즉 너는 꿈을 들으면 능히 푼다
하더라
16 요셉이 바로에게 대답하여 이르되 내
가 아니라 하나님께서 바로에게 편안
한 대답을 하시리이다
17 바로가 요셉에게 이르되 내가 꿈에 나
일 강 가에 서서
18 보니 살지고 아름다운 일곱 암소가 나
일 강 가에 올라와 갈밭에서 뜯어먹고
19 그 뒤에 또 약하고 심히 흉하고 파리한
일곱 암소가 올라오니 그같이 흉한 것
들은 애굽 땅에서 내가 아직 보지 못한
것이라
20 그 파리하고 흉한 소가 처음의 일곱 살
진 소를 먹었으며
21 먹었으나 먹은 듯 하지 아니하고 여전
히 흉하더라 내가 곧 깨었다가
22 다시 꿈에 보니 한 줄기에 무성하고 충
실한 일곱 이삭이 나오고
23 그 후에 또 가늘고 동풍에 마른 일곱
이삭이 나더니
24 그 가는 이삭이 좋은 일곱 이삭을 삼키
더라 내가 그 꿈을 점술가에게 말하였
으나 그것을 내게 풀이해 주는 자가 없

14 ●
15
16
17
18
19
20
21
22
23
24

느니라
25 ●요셉이 바로에게 아뢰되 바로의 꿈
은 하나라 하나님이 그가 하실 일을 바
로에게 보이심이니이다
26 일곱 좋은 암소는 일곱 해요 일곱 좋은
이삭도 일곱 해니 그 꿈은 하나라
27 그 후에 올라온 파리하고 흉한 일곱 소
는 칠 년이요 동풍에 말라 속이 빈 일
곱 이삭도 일곱 해 흉년이니
28 내가 바로에게 이르기를 하나님이 그
가 하실 일을 바로에게 보이신다 함이
이것이라
29 온 애굽 땅에 일곱 해 큰 풍년이 있겠고
30 후에 일곱 해 흉년이 들므로 애굽 땅에
있던 풍년을 다 잊어버리게 되고 이 땅
이 그 기근으로 망하리니
31 후에 든 그 흉년이 너무 심하므로 이전
풍년을 이 땅에서 기억하지 못하게 되
리이다
32 바로께서 꿈을 두 번 겹쳐 꾸신 것은
하나님이 이 일을 정하셨음이라 하나
님이 속히 행하시리니
33 이제 바로께서는 명철하고 지혜 있는
사람을 택하여 애굽 땅을 다스리게 하
시고
34 바로께서는 또 이같이 행하사 나라 안
에 감독관들을 두어 그 일곱 해 풍년에
애굽 땅의 오분의 일을 거두되
35 그들로 장차 올 풍년의 모든 곡물을 거
두고 그 곡물을 바로의 손에 돌려 양식
을 위하여 각 성읍에 쌓아 두게 하소서

25 ●
26
27
28
29
30
31
32
33
34
35

36 이와 같이 그 곡물을 이 땅에 저장하여
애굽 땅에 임할 일곱 해 흉년에 대비하
시면 땅이 이 흉년으로 말미암아 망하
지 아니하리이다

요셉이 애굽의 총리가 되다

37 ●바로와 그의 모든 신하가 이 일을 좋
게 여긴지라
38 바로가 그의 신하들에게 이르되 이와
같이 하나님의 영에 감동된 사람을 우
리가 어찌 찾을 수 있으리요 하고
39 요셉에게 이르되 하나님이 이 모든 것
을 네게 보이셨으니 너와 같이 명철하
고 지혜 있는 자가 없도다
40 너는 내 집을 다스리라 내 백성이 다
네 명령에 복종하리니 내가 너보다 높
은 것은 내 왕좌뿐이니라
41 바로가 또 요셉에게 이르되 내가 너를
애굽 온 땅의 총리가 되게 하노라 하고
42 자기의 인장 반지를 빼어 요셉의 손에
끼우고 그에게 세마포 옷을 입히고 금
사슬을 목에 걸고
43 자기에게 있는 버금 수레에 그를 태우
매 무리가 그의 앞에서 소리 지르기를
엎드리라 하더라 바로가 그에게 애굽
전국을 총리로 다스리게 하였더라
44 바로가 요셉에게 이르되 나는 바로라
애굽 온 땅에서 네 허락이 없이는 수족
을 놀릴 자가 없으리라 하고
45 그가 요셉의 이름을 사브낫바네아라 하
고 또 온의 제사장 보디베라의 딸 아스
낫을 그에게 주어 아내로 삼게 하니라

36

요셉이 애굽의 총리가 되다

37 ●

38

39

40

41

42

43

44

45

요셉이 나가 애굽 온 땅을 순찰하니라
46 ●요셉이 애굽 왕 바로 앞에 설 때에
삼십 세라 그가 바로 앞을 떠나 애굽
온 땅을 순찰하니
47 일곱 해 풍년에 토지 소출이 심히 많은
지라
48 요셉이 애굽 땅에 있는 그 칠 년 곡물
을 거두어 각 성에 저장하되 각 성읍
주위의 밭의 곡물을 그 성읍 중에 쌓아
두매
49 쌓아 둔 곡식이 바다 모래 같이 심히
많아 세기를 그쳤으니 그 수가 한이 없
음이었더라
50 흉년이 들기 전에 요셉에게 두 아들이
나되 곧 온의 제사장 보디베라의 딸 아
스낫이 그에게서 낳은지라
51 요셉이 그의 장남의 이름을 므낫세라
하였으니 하나님이 내게 내 모든 고난
과 내 아버지의 온 집 일을 잊어버리게
하셨다 함이요
52 차남의 이름을 에브라임이라 하였으니
하나님이 나를 내가 수고한 땅에서 번
성하게 하셨다 함이었더라
53 애굽 땅에 일곱 해 풍년이 그치고
54 요셉의 말과 같이 일곱 해 흉년이 들기
시작하매 각국에는 기근이 있으나 애
굽 온 땅에는 먹을 것이 있더니
55 애굽 온 땅이 굶주리매 백성이 바로에
게 부르짖어 양식을 구하는지라 바로
가 애굽 모든 백성에게 이르되 요셉에
게 가서 그가 너희에게 이르는 대로 하

46 ●
47
48
49
50
51
52
53
54
55

라 하니라
56 온 지면에 기근이 있으매 요셉이 모든
창고를 열고 애굽 백성에게 팔새 애굽
땅에 기근이 심하며
57 각국 백성도 양식을 사려고 애굽으로
들어와 요셉에게 이르렀으니 기근이
온 세상에 심함이었더라

요셉의 형들이 애굽으로 가다

42 그 때에 야곱이 애굽에 곡식이
있음을 보고 아들들에게 이르되
너희는 어찌하여 서로 바라보고만 있
느냐
2 야곱이 또 이르되 내가 들은즉 저 애굽
에 곡식이 있다 하니 너희는 그리로 가
서 거기서 우리를 위하여 사오라 그러
면 우리가 살고 죽지 아니하리라 하매
3 요셉의 형 열 사람이 애굽에서 곡식을
사려고 내려갔으나
4 야곱이 요셉의 아우 베냐민은 그의 형
들과 함께 보내지 아니하였으니 이는
그의 생각에 재난이 그에게 미칠까 두
려워함이었더라
5 이스라엘의 아들들이 양식 사러 간 자
중에 있으니 가나안 땅에 기근이 있음
이라
6 때에 요셉이 나라의 총리로서 그 땅
모든 백성에게 곡식을 팔더니 요셉의
형들이 와서 그 앞에서 땅에 엎드려
절하매
7 요셉이 보고 형들인 줄을 아나 모르는
체하고 엄한 소리로 그들에게 말하여

56

57

요셉의 형들이 애굽으로 가다

42

2

3

4

5

6

7

이르되 너희가 어디서 왔느냐 그들이
이르되 곡물을 사려고 가나안에서 왔
나이다
8 요셉은 그의 형들을 알아보았으나 그 8
들은 요셉을 알아보지 못하더라
9 요셉이 그들에게 대하여 꾼 꿈을 생각 9
하고 그들에게 이르되 너희는 정탐꾼
들이라 이 나라의 틈을 엿보려고 왔느
니라
10 그들이 그에게 이르되 내 주여 아니니 10
이다 당신의 종들은 곡물을 사러 왔나
이다
11 우리는 다 한 사람의 아들들로서 확실 11
한 자들이니 당신의 종들은 정탐꾼이
아니니이다
12 요셉이 그들에게 이르되 아니라 너희 12
가 이 나라의 틈을 엿보러 왔느니라
13 그들이 이르되 당신의 종 우리들은 열 13
두 형제로서 가나안 땅 한 사람의 아들
들이라 막내 아들은 오늘 아버지와 함
께 있고 또 하나는 없어졌나이다
14 요셉이 그들에게 이르되 내가 너희에 14
게 이르기를 너희는 정탐꾼들이라 한
말이 이것이니라
15 너희는 이같이 하여 너희 진실함을 증 15
명할 것이라 바로의 생명으로 맹세하
노니 너희 막내 아우가 여기 오지 아니
하면 너희가 여기서 나가지 못하리라
16 너희 중 하나를 보내어 너희 아우를 데 16
려오게 하고 너희는 갇히어 있으라 내
가 너희의 말을 시험하여 너희 중에 진

실이 있는지 보리라 바로의 생명으로
맹세하노니 그리하지 아니하면 너희는
과연 정탐꾼이니라 하고
17 그들을 다 함께 삼 일을 가두었더라
18 ●사흘 만에 요셉이 그들에게 이르되
나는 하나님을 경외하노니 너희는 이
같이 하여 생명을 보전하라
19 너희가 확실한 자들이면 너희 형제 중
한 사람만 그 옥에 갇히게 하고 너희는
곡식을 가지고 가서 너희 집안의 굶주
림을 구하고
20 너희 막내 아우를 내게로 데리고 오라
그러면 너희 말이 진실함이 되고 너희
가 죽지 아니하리라 하니 그들이 그대
로 하니라
21 그들이 서로 말하되 우리가 아우의 일
로 말미암아 범죄하였도다 그가 우리
에게 애걸할 때에 그 마음의 괴로움을
보고도 듣지 아니하였으므로 이 괴로
움이 우리에게 임하도다
22 르우벤이 그들에게 대답하여 이르되 내
가 너희에게 그 아이에 대하여 죄를 짓
지 말라고 하지 아니하였더냐 그래도
너희가 듣지 아니하였느니라 그러므로
그의 핏값을 치르게 되었도다 하니
23 그들 사이에 통역을 세웠으므로 그들
은 요셉이 듣는 줄을 알지 못하였더라
24 요셉이 그들을 떠나가서 울고 다시 돌
아와서 그들과 말하다가 그들 중에서
시므온을 끌어내어 그들의 눈 앞에서
결박하고

17

18 ●

19

20

21

22

23

24

25 명하여 곡물을 그 그릇에 채우게 하고
각 사람의 돈은 그의 자루에 도로 넣게
하고 또 길 양식을 그들에게 주게 하니
그대로 행하였더라

요셉의 형들이 가나안으로 돌아오다

26 ●그들이 곡식을 나귀에 싣고 그 곳을
떠났더니
27 한 사람이 여관에서 나귀에게 먹이를
주려고 자루를 풀고 본즉 그 돈이 자루
아귀에 있는지라
28 그가 그 형제에게 말하되 내 돈을 도로
넣었도다 보라 자루 속에 있도다 이에
그들이 혼이 나서 떨며 서로 돌아보며
말하되 하나님이 어찌하여 이런 일을
우리에게 행하셨는가 하고
29 그들이 가나안 땅에 돌아와 그들의 아
버지 야곱에게 이르러 그들이 당한 일
을 자세히 알리어 아뢰되
30 그 땅의 주인인 그 사람이 엄하게 우리
에게 말씀하고 우리를 그 땅에 대한 정
탐꾼으로 여기기로
31 우리가 그에게 이르되 우리는 확실한
자들이요 정탐꾼이 아니니이다
32 우리는 한 아버지의 아들 열두 형제로
서 하나는 없어지고 막내는 오늘 우리
아버지와 함께 가나안 땅에 있나이다
하였더니
33 그 땅의 주인인 그 사람이 우리에게 이
르되 내가 이같이 하여 너희가 확실한
자들임을 알리니 너희 형제 중의 하나
를 내게 두고 양식을 가지고 가서 너희

25

요셉의 형들이 가나안으로 돌아오다

26 ●

27

28

29

30

31

32

33

집안의 굶주림을 구하고
34 너희 막내 아우를 내게로 데려 오라 그
러면 너희가 정탐꾼이 아니요 확실한
자들임을 내가 알고 너희 형제를 너희
에게 돌리리니 너희가 이 나라에서 무
역하리라 하더이다 하고
35 각기 자루를 쏟고 본즉 각 사람의 돈뭉
치가 그 자루 속에 있는지라 그들과 그
들의 아버지가 돈뭉치를 보고 다 두려
워하더니
36 그들의 아버지 야곱이 그들에게 이르
되 너희가 나에게 내 자식들을 잃게 하
도다 요셉도 없어졌고 시므온도 없어
졌거늘 베냐민을 또 빼앗아 가고자 하
니 이는 다 나를 해롭게 함이로다
37 르우벤이 그의 아버지에게 말하여 이
르되 내가 그를 아버지께로 데리고 오
지 아니하거든 내 두 아들을 죽이소서
그를 내 손에 맡기소서 내가 그를 아버
지께로 데리고 돌아오리이다
38 야곱이 이르되 내 아들은 너희와 함께
내려가지 못하리니 그의 형은 죽고 그
만 남았음이라 만일 너희가 가는 길에
서 재난이 그에게 미치면 너희가 내 흰
머리를 슬퍼하며 스올로 내려가게 함
이 되리라

형들이 베냐민을 데리고 애굽으로 가다

43 그 땅에 기근이 심하고
2 그들이 애굽에서 가져온 곡식
을 다 먹으매 그 아버지가 그들에게 이
르되 다시 가서 우리를 위하여 양식을

34

35

36

37

38

형들이 베냐민을 데리고 애굽으로 가다

43
2

조금 사오라
3 유다가 아버지에게 말하여 이르되 그
사람이 우리에게 엄히 경고하여 이르
되 너희 아우가 너희와 함께 오지 아니
하면 너희가 내 얼굴을 보지 못하리라
하였으니
4 아버지께서 우리 아우를 우리와 함께
보내시면 우리가 내려가서 아버지를
위하여 양식을 사려니와
5 아버지께서 만일 그를 보내지 아니하
시면 우리는 내려가지 아니하리니 그
사람이 우리에게 말하기를 너희의 아
우가 너희와 함께 오지 아니하면 너희
가 내 얼굴을 보지 못하리라 하였음이
니이다
6 이스라엘이 이르되 너희가 어찌하여
너희에게 또 다른 아우가 있다고 그 사
람에게 말하여 나를 괴롭게 하였느냐
7 그들이 이르되 그 사람이 우리와 우리
의 친족에 대하여 자세히 질문하여 이
르기를 너희 아버지가 아직 살아 계시
느냐 너희에게 아우가 있느냐 하기로
그 묻는 말에 따라 그에게 대답한 것이
니 그가 너희의 아우를 데리고 내려오
라 할 줄을 우리가 어찌 알았으리이까
8 유다가 그의 아버지 이스라엘에게 이
르되 저 아이를 나와 함께 보내시면 우
리가 곧 가리니 그러면 우리와 아버지
와 우리 어린 아이들이 다 살고 죽지
아니하리이다
9 내가 그를 위하여 담보가 되오리니 아

3

4

5

6

7

8

9

버지께서 내 손에서 그를 찾으소서 내
가 만일 그를 아버지께 데려다가 아버
지 앞에 두지 아니하면 내가 영원히 죄
를 지리이다
10 우리가 지체하지 아니하였더라면 벌써
두 번 갔다 왔으리이다
11 그들의 아버지 이스라엘이 그들에게
이르되 그러할진대 이렇게 하라 너희
는 이 땅의 아름다운 소산을 그릇에 담
아가지고 내려가서 그 사람에게 예물
로 드릴지니 곧 유향 조금과 꿀 조금과
향품과 몰약과 유향나무 열매와 감복
숭아이니라
12 너희 손에 갑절의 돈을 가지고 너희 자
루 아귀에 도로 넣어져 있던 그 돈을
다시 가지고 가라 혹 잘못이 있었을까
두렵도다
13 네 아우도 데리고 떠나 다시 그 사람에
게로 가라
14 전능하신 하나님께서 그 사람 앞에서
너희에게 은혜를 베푸사 그 사람으로
너희 다른 형제와 베냐민을 돌려보내
게 하시기를 원하노라 내가 자식을 잃
게 되면 잃으리로다
15 그 형제들이 예물을 마련하고 갑절의
돈을 자기들의 손에 가지고 베냐민을
데리고 애굽에 내려가서 요셉 앞에 서
니라
16 ● 요셉은 베냐민이 그들과 함께 있음
을 보고 자기의 청지기에게 이르되 이
사람들을 집으로 인도해 들이고 짐승

10
11
12
13
14
15
16 ●

을 잡고 준비하라 이 사람들이 정오에
나와 함께 먹을 것이니라
17 청지기가 요셉의 명대로 하여 그 사람
들을 요셉의 집으로 인도하니
18 그 사람들이 요셉의 집으로 인도되매
두려워하여 이르되 전번에 우리 자루
에 들어 있던 돈의 일로 우리가 끌려드
는도다 이는 우리를 억류하고 달려들
어 우리를 잡아 노예로 삼고 우리의 나
귀를 빼앗으려 함이로다 하고
19 그들이 요셉의 집 청지기에게 가까이
나아가 그 집 문 앞에서 그에게 말하여
20 이르되 내 주여 우리가 전번에 내려와
서 양식을 사가지고
21 여관에 이르러 자루를 풀어본즉 각 사
람의 돈이 전액 그대로 자루 아귀에 있
기로 우리가 도로 가져왔고
22 양식 살 다른 돈도 우리가 가지고 내려
왔나이다 우리의 돈을 우리 자루에 넣
은 자는 누구인지 우리가 알지 못하나
이다
23 그가 이르되 너희는 안심하라 두려워
하지 말라 너희 하나님, 너희 아버지의
하나님이 재물을 너희 자루에 넣어 너
희에게 주신 것이니라 너희 돈은 내가
이미 받았느니라 하고 시므온을 그들
에게로 이끌어내고
24 그들을 요셉의 집으로 인도하고 물을
주어 발을 씻게 하며 그들의 나귀에게
먹이를 주더라
25 그들이 거기서 음식을 먹겠다 함을 들

17

18

19

20

21

22

23

24

25

었으므로 예물을 정돈하고 요셉이 정
오에 오기를 기다리더니
26 요셉이 집으로 오매 그들이 집으로 들
어가서 예물을 그에게 드리고 땅에 엎
드려 절하니
27 요셉이 그들의 안부를 물으며 이르되
너희 아버지 너희가 말하던 그 노인이
안녕하시냐 아직도 생존해 계시느냐
28 그들이 대답하되 주의 종 우리 아버지
가 평안하고 지금까지 생존하였나이다
하고 머리 숙여 절하더라
29 요셉이 눈을 들어 자기 어머니의 아들
자기 동생 베냐민을 보고 이르되 너희
가 내게 말하던 너희 작은 동생이 이
아이냐 그가 또 이르되 소자여 하나님
이 네게 은혜 베푸시기를 원하노라
30 요셉이 아우를 사랑하는 마음이 복받
쳐 급히 울 곳을 찾아 안방으로 들어가
서 울고
31 얼굴을 씻고 나와서 그 정을 억제하고
음식을 차리라 하매
32 그들이 요셉에게 따로 차리고 그 형제
들에게 따로 차리고 그와 함께 먹는 애
굽 사람에게도 따로 차리니 애굽 사람
은 히브리 사람과 같이 먹으면 부정을
입음이었더라
33 그들이 요셉 앞에 앉되 그들의 나이에
따라 앉히게 되니 그들이 서로 이상히
여겼더라
34 요셉이 자기 음식을 그들에게 주되 베
냐민에게는 다른 사람보다 다섯 배나

26

27

28

29

30

31

32

33

34

주매 그들이 마시며 요셉과 함께 즐거
워하였더라

은잔이 없어지다

44 요셉이 그의 집 청지기에게 명
하여 이르되 양식을 각자의 자
루에 운반할 수 있을 만큼 채우고 각자
의 돈을 그 자루에 넣고
2 또 내 잔 곧 은잔을 그 청년의 자루 아
귀에 넣고 그 양식 값 돈도 함께 넣으
라 하매 그가 요셉의 명령대로 하고
3 아침이 밝을 때에 사람들과 그들의 나
귀들을 보내니라
4 그들이 성읍에서 나가 멀리 가기 전에
요셉이 청지기에게 이르되 일어나 그
사람들의 뒤를 따라 가서 그들에게 이
르기를 너희가 어찌하여 선을 악으로
갚느냐
5 이것은 내 주인이 가지고 마시며 늘 점
치는 데에 쓰는 것이 아니냐 너희가 이
같이 하니 악하도다 하라
6 청지기가 그들에게 따라 가서 그대로
말하니
7 그들이 그에게 대답하되 내 주여 어찌
이렇게 말씀하시나이까 당신의 종들이
이런 일은 결단코 아니하나이다
8 우리 자루에 있던 돈도 우리가 가나안
땅에서부터 당신에게로 가져왔거늘 우
리가 어찌 당신의 주인의 집에서 은 금
을 도둑질하리이까
9 당신의 종들 중 누구에게서 발견되든
지 그는 죽을 것이요 우리는 내 주의

은잔이 없어지다

44

2

3

4

5

6

7

8

9

종들이 되리이다
10 그가 이르되 그러면 너희의 말과 같이
하리라 그것이 누구에게서든지 발견되
면 그는 내게 종이 될 것이요 너희는
죄가 없으리라
11 그들이 각각 급히 자루를 땅에 내려놓
고 자루를 각기 푸니
12 그가 나이 많은 자에게서부터 시작하
여 나이 적은 자에게까지 조사하매 그
잔이 베냐민의 자루에서 발견된지라
13 그들이 옷을 찢고 각기 짐을 나귀에 싣
고 성으로 돌아 가니라

유다가 베냐민을 위하여 인질을 청하다

14 ●유다와 그의 형제들이 요셉의 집에
이르니 요셉이 아직 그 곳에 있는지라
그의 앞에서 땅에 엎드리니
15 요셉이 그들에게 이르되 너희가 어찌
하여 이런 일을 행하였느냐 나 같은 사
람이 점을 잘 치는 줄을 너희는 알지
못하였느냐
16 유다가 말하되 우리가 내 주께 무슨 말
을 하오리이까 무슨 설명을 하오리이
까 우리가 어떻게 우리의 정직함을 나
타내리이까 하나님이 종들의 죄악을
찾아내셨으니 우리와 이 잔이 발견된
자가 다 내 주의 노예가 되겠나이다
17 요셉이 이르되 내가 결코 그리하지 아
니하리라 잔이 그 손에서 발견된 자만
내 종이 되고 너희는 평안히 너희 아버
지께로 도로 올라갈 것이니라
18 유다가 그에게 가까이 가서 이르되 내

10

11

12

13

유다가 베냐민을 위하여 인질을 청하다

14 ●

15

16

17

18

주여 원하건대 당신의 종에게 내 주의
귀에 한 말씀을 아뢰게 하소서 주의 종
에게 노하지 마소서 주는 바로와 같으
심이니이다
19 이전에 내 주께서 종들에게 물으시되
너희는 아버지가 있느냐 아우가 있느
냐 하시기에
20 우리가 내 주께 아뢰되 우리에게 아버
지가 있으니 노인이요 또 그가 노년에
얻은 아들 청년이 있으니 그의 형은 죽
고 그의 어머니가 남긴 것은 그뿐이므
로 그의 아버지가 그를 사랑하나이다
하였더니
21 주께서 또 종들에게 이르시되 그를 내
게로 데리고 내려와서 내가 그를 보게
하라 하시기로
22 우리가 내 주께 말씀드리기를 그 아이
는 그의 아버지를 떠나지 못할지니 떠
나면 그의 아버지가 죽겠나이다
23 주께서 또 주의 종들에게 말씀하시되
너희 막내 아우가 너희와 함께 내려오
지 아니하면 너희가 다시 내 얼굴을 보
지 못하리라 하시기로
24 우리가 주의 종 우리 아버지에게로 도
로 올라가서 내 주의 말씀을 그에게 아
뢰었나이다
25 그 후에 우리 아버지가 다시 가서 곡물
을 조금 사오라 하시기로
26 우리가 이르되 우리가 내려갈 수 없나
이다 우리 막내 아우가 함께 가면 내려
가려니와 막내 아우가 우리와 함께 가

19

20

21

22

23

24

25

26

지 아니하면 그 사람의 얼굴을 볼 수
없음이니이다
27 주의 종 우리 아버지가 우리에게 이르
되 너희도 알거니와 내 아내가 내게 두
아들을 낳았으나
28 하나는 내게서 나갔으므로 내가 말하
기를 틀림없이 찢겨 죽었다 하고 내가
지금까지 그를 보지 못하거늘
29 너희가 이 아이도 내게서 데려 가려하
니 만일 재해가 그 몸에 미치면 나의
흰 머리를 슬퍼하며 스올로 내려가게
하리라 하니
30 아버지의 생명과 아이의 생명이 서로
하나로 묶여 있거늘 이제 내가 주의 종
우리 아버지에게 돌아갈 때에 아이가
우리와 함께 가지 아니하면
31 아버지가 아이의 없음을 보고 죽으리
니 이같이 되면 종들이 주의 종 우리
아버지가 흰 머리로 슬퍼하며 스올로
내려가게 함이니이다
32 주의 종이 내 아버지에게 아이를 담보
하기를 내가 이를 아버지께로 데리고
돌아오지 아니하면 영영히 아버지께
죄짐을 지리이다 하였사오니
33 이제 주의 종으로 그 아이를 대신하여
머물러 있어 내 주의 종이 되게 하시고
그 아이는 그의 형제들과 함께 올려 보
내소서
34 그 아이가 나와 함께 가지 아니하면 내
가 어찌 내 아버지에게로 올라갈 수 있
으리이까 두렵건대 재해가 내 아버지

27
28
29
30
31
32
33
34

에게 미침을 보리이다

요셉이 형제들에게 자기를 밝히다

45 요셉이 시종하는 자들 앞에서
그 정을 억제하지 못하여 소리
질러 모든 사람을 자기에게서 물러가
라 하고 그 형제들에게 자기를 알리니
그 때에 그와 함께 한 다른 사람이 없
었더라
2 요셉이 큰 소리로 우니 애굽 사람에게
들리며 바로의 궁중에 들리더라
3 요셉이 그 형들에게 이르되 나는 요셉
이라 내 아버지께서 아직 살아 계시니
이까 형들이 그 앞에서 놀라서 대답하
지 못하더라
4 요셉이 형들에게 이르되 내게로 가까
이 오소서 그들이 가까이 가니 이르되
나는 당신들의 아우 요셉이니 당신들
이 애굽에 판 자라
5 당신들이 나를 이 곳에 팔았다고 해서
근심하지 마소서 한탄하지 마소서 하
나님이 생명을 구원하시려고 나를 당
신들보다 먼저 보내셨나이다
6 이 땅에 이 년 동안 흉년이 들었으나
아직 오 년은 밭갈이도 못하고 추수도
못할지라
7 하나님이 큰 구원으로 당신들의 생명
을 보존하고 당신들의 후손을 세상에
두시려고 나를 당신들보다 먼저 보내
셨나니
8 그런즉 나를 이리로 보낸 이는 당신들
이 아니요 하나님이시라 하나님이 나

요셉이 형제들에게 자기를 밝히다

45

2

3

4

5

6

7

8

를 바로에게 아버지로 삼으시고 그 온
집의 주로 삼으시며 애굽 온 땅의 통치
자로 삼으셨나이다
9 당신들은 속히 아버지께로 올라가서
아뢰기를 아버지의 아들 요셉의 말에
하나님이 나를 애굽 전국의 주로 세우
셨으니 지체 말고 내게로 내려오사
10 아버지의 아들들과 아버지의 손자들과
아버지의 양과 소와 모든 소유가 고센
땅에 머물며 나와 가깝게 하소서
11 흉년이 아직 다섯 해가 있으니 내가 거
기서 아버지를 봉양하리이다 아버지와
아버지의 가족과 아버지께 속한 모든
사람에게 부족함이 없도록 하겠나이다
하더라고 전하소서
12 당신들의 눈과 내 아우 베냐민의 눈이
보는 바 당신들에게 이 말을 하는 것은
내 입이라
13 당신들은 내가 애굽에서 누리는 영화
와 당신들이 본 모든 것을 다 내 아버
지께 아뢰고 속히 모시고 내려오소서
하며
14 자기 아우 베냐민의 목을 안고 우니 베
냐민도 요셉의 목을 안고 우니라
15 요셉이 또 형들과 입맞추며 안고 우니
형들이 그제서야 요셉과 말하니라
16 ●요셉의 형들이 왔다는 소문이 바로
의 궁에 들리매 바로와 그의 신하들이
기뻐하고
17 바로는 요셉에게 이르되 네 형들에게
명령하기를 너희는 이렇게 하여 너희

9

10

11

12

13

14

15

16 ●

17

양식을 싣고 가서 가나안 땅에 이르
거든
18 너희 아버지와 너희 가족을 이끌고 내
게로 오라 내가 너희에게 애굽의 좋은
땅을 주리니 너희가 나라의 기름진 것
을 먹으리라
19 이제 명령을 받았으니 이렇게 하라 너
희는 애굽 땅에서 수레를 가져다가 너
희 자녀와 아내를 태우고 너희 아버지
를 모셔 오라
20 또 너희의 기구를 아끼지 말라 온 애굽
땅의 좋은 것이 너희 것임이니라
21 ●이스라엘의 아들들이 그대로 할새
요셉이 바로의 명령대로 그들에게 수
레를 주고 길 양식을 주며
22 또 그들에게 다 각기 옷 한 벌씩을 주
되 베냐민에게는 은 삼백과 옷 다섯 벌
을 주고
23 그가 또 이와 같이 그 아버지에게 보내
되 수나귀 열 필에 애굽의 아름다운 물
품을 실리고 암나귀 열 필에는 아버지
에게 길에서 드릴 곡식과 떡과 양식을
실리고
24 이에 형들을 돌려보내며 그들에게 이
르되 당신들은 길에서 다투지 말라 하
였더라
25 그들이 애굽에서 올라와 가나안 땅으
로 들어가서 아버지 야곱에게 이르러
26 알리어 이르되 요셉이 지금까지 살아
있어 애굽 땅 총리가 되었더이다 야곱
이 그들의 말을 믿지 못하여 어리둥절

18
19
20
21 ●
22
23
24
25
26

하더니
27 그들이 또 요셉이 자기들에게 부탁한
모든 말로 그에게 말하매 그들의 아버
지 야곱은 요셉이 자기를 태우려고 보
낸 수레를 보고서야 기운이 소생한지라
28 이스라엘이 이르되 족하도다 내 아들
요셉이 지금까지 살아 있으니 내가 죽
기 전에 가서 그를 보리라 하니라

야곱 가족이 애굽으로 내려가다

46 이스라엘이 모든 소유를 이끌고
떠나 브엘세바에 이르러 그의
아버지 이삭의 하나님께 희생제사를
드리니
2 그 밤에 하나님이 이상 중에 이스라엘
에게 나타나 이르시되 야곱아 야곱아
하시는지라 야곱이 이르되 내가 여기
있나이다 하매
3 하나님이 이르시되 나는 하나님이라
네 아버지의 하나님이니 애굽으로 내
려가기를 두려워하지 말라 내가 거기
서 너로 큰 민족을 이루게 하리라
4 내가 너와 함께 애굽으로 내려가겠고
반드시 너를 인도하여 다시 올라올 것
이며 요셉이 그의 손으로 네 눈을 감기
리라 하셨더라
5 야곱이 브엘세바에서 떠날새 이스라엘
의 아들들이 바로가 그를 태우려고 보
낸 수레에 자기들의 아버지 야곱과 자
기들의 처자들을 태우고
6 그들의 가축과 가나안 땅에서 얻은 재
물을 이끌었으며 야곱과 그의 자손들

27
28
야곱 가족이 애굽으로 내려가다
46
2
3
4
5
6

이 다함께 애굽으로 갔더라
7 이와 같이 야곱이 그 아들들과 손자들
과 딸들과 손녀들 곧 그의 모든 자손을
데리고 애굽으로 갔더라
8 ●애굽으로 내려간 이스라엘 가족의
이름은 이러하니라 야곱과 그의 아들
들 곧 야곱의 맏아들 르우벤과
9 르우벤의 아들 하녹과 발루와 헤스론
과 갈미요
10 시므온의 아들은 여무엘과 야민과 오
핫과 야긴과 스할과 가나안 여인의 아
들 사울이요
11 레위의 아들은 게르손과 그핫과 므라
리요
12 유다의 아들 곧 엘과 오난과 셀라와 베
레스와 세라니 엘과 오난은 가나안 땅
에서 죽었고 베레스의 아들은 헤스론
과 하물이요
13 잇사갈의 아들은 돌라와 부와와 욥과
시므론이요
14 스불론의 아들은 세렛과 엘론과 얄르
엘이니
15 이들은 레아가 밧단아람에서 야곱에게
난 자손들이라 그 딸 디나를 합하여 남
자와 여자가 삼십삼 명이며
16 갓의 아들은 시본과 학기와 수니와 에
스본과 에리와 아로디와 아렐리요
17 아셀의 아들은 임나와 이스와와 이스
위와 브리아와 그들의 누이 세라며 또
브리아의 아들은 헤벨과 말기엘이니
18 이들은 라반이 그의 딸 레아에게 준 실

7
8 ●
9
10
11
12
13
14
15
16
17
18

바가 야곱에게 낳은 자손들이니 모두
십육 명이라
19 야곱의 아내 라헬의 아들 곧 요셉과 베
냐민이요
20 애굽 땅에서 온의 제사장 보디베라의
딸 아스낫이 요셉에게 낳은 므낫세와
에브라임이요
21 베냐민의 아들 곧 벨라와 베겔과 아스
벨과 게라와 나아만과 에히와 로스와
뭅빔과 훕빔과 아릇이니
22 이들은 라헬이 야곱에게 낳은 자손들
이니 모두 십사 명이요
23 단의 아들 후심이요
24 납달리의 아들 곧 야스엘과 구니와 예
셀과 실렘이라
25 이들은 라반이 그의 딸 라헬에게 준 빌
하가 야곱에게 낳은 자손들이니 모두
칠 명이라
26 야곱과 함께 애굽에 들어간 자는 야곱
의 며느리들 외에 육십육 명이니 이는
다 야곱의 몸에서 태어난 자이며
27 애굽에서 요셉이 낳은 아들은 두 명이
니 야곱의 집 사람으로 애굽에 이른 자
가 모두 칠십 명이었더라

야곱 일행이 애굽에 이르다

28 ●야곱이 유다를 요셉에게 미리 보내
어 자기를 고센으로 인도하게 하고 다
고센 땅에 이르니
29 요셉이 그의 수레를 갖추고 고센으로
올라가서 그의 아버지 이스라엘을 맞
으며 그에게 보이고 그의 목을 어긋맞

19

20

21

22

23

24

25

26

27

야곱 일행이 애굽에 이르다

28 ●

29

춰 안고 얼마 동안 울매
30 이스라엘이 요셉에게 이르되 네가 지
금까지 살아 있고 내가 네 얼굴을 보았
으니 지금 죽어도 족하도다
31 요셉이 그의 형들과 아버지의 가족에게
이르되 내가 올라가서 바로에게 아뢰어
이르기를 가나안 땅에 있던 내 형들과
내 아버지의 가족이 내게로 왔는데
32 그들은 목자들이라 목축하는 사람들이
므로 그들의 양과 소와 모든 소유를 이
끌고 왔나이다 하리니
33 바로가 당신들을 불러서 너희의 직업
이 무엇이냐 묻거든
34 당신들은 이르기를 주의 종들은 어렸
을 때부터 지금까지 목축하는 자들이
온데 우리와 우리 선조가 다 그러하니
이다 하소서 애굽 사람은 다 목축을 가
증히 여기나니 당신들이 고센 땅에 살
게 되리이다

47

요셉이 바로에게 가서 고하여 이
르되 내 아버지와 내 형들과 그
들의 양과 소와 모든 소유가 가나안 땅
에서 와서 고센 땅에 있나이다 하고
2 그의 형들 중 다섯 명을 택하여 바로에
게 보이니
3 바로가 요셉의 형들에게 묻되 너희 생
업이 무엇이냐 그들이 바로에게 대답
하되 종들은 목자이온데 우리와 선조
가 다 그러하니이다 하고
4 그들이 또 바로에게 고하되 가나안 땅
에 기근이 심하여 종들의 양 떼를 칠

30
31
32
33
34
47
2
3
4

곳이 없기로 종들이 이 곳에 거류하고
자 왔사오니 원하건대 종들로 고센 땅
에 살게 하소서
5 바로가 요셉에게 말하여 이르되 네 아
버지와 형들이 네게 왔은즉
6 애굽 땅이 네 앞에 있으니 땅의 좋은
곳에 네 아버지와 네 형들이 거주하게
하되 그들이 고센 땅에 거주하고 그들
중에 능력 있는 자가 있거든 그들로 내
가축을 관리하게 하라
7 요셉이 자기 아버지 야곱을 인도하여
바로 앞에 서게 하니 야곱이 바로에게
축복하매
8 바로가 야곱에게 묻되 네 나이가 얼마냐
9 야곱이 바로에게 아뢰되 내 나그네 길
의 세월이 백삼십 년이니이다 내 나이
가 얼마 못 되니 우리 조상의 나그네
길의 연조에 미치지 못하나 험악한 세
월을 보내었나이다 하고
10 야곱이 바로에게 축복하고 그 앞에서
나오니라
11 요셉이 바로의 명령대로 그의 아버지
와 그의 형들에게 거주할 곳을 주되 애
굽의 좋은 땅 라암셋을 그들에게 주어
소유로 삼게 하고
12 또 그의 아버지와 그의 형들과 그의 아
버지의 온 집에 그 식구를 따라 먹을
것을 주어 봉양하였더라

기근이 더욱 심해지다

13 ●기근이 더욱 심하여 사방에 먹을 것
이 없고 애굽 땅과 가나안 땅이 기근으

5

6

7

8

9

10

11

12

기근이 더욱 심해지다

13 ●

로 황폐하니
14 요셉이 곡식을 팔아 애굽 땅과 가나안
땅에 있는 돈을 모두 거두어들이고 그
돈을 바로의 궁으로 가져가니
15 애굽 땅과 가나안 땅에 돈이 떨어진지
라 애굽 백성이 다 요셉에게 와서 이르
되 돈이 떨어졌사오니 우리에게 먹을
거리를 주소서 어찌 주 앞에서 죽으리
이까
16 요셉이 이르되 너희의 가축을 내라 돈
이 떨어졌은즉 내가 너희의 가축과 바
꾸어 주리라
17 그들이 그들의 가축을 요셉에게 끌어
오는지라 요셉이 그 말과 양 떼와 소
떼와 나귀를 받고 그들에게 먹을 것을
주되 곧 그 모든 가축과 바꾸어서 그
해 동안에 먹을 것을 그들에게 주니라
18 그 해가 다 가고 새 해가 되매 무리가
요셉에게 와서 그에게 말하되 우리가
주께 숨기지 아니하나이다 우리의 돈이
다하였고 우리의 가축 떼가 주께로 돌
아갔사오니 주께 낼 것이 아무것도 남
지 아니하고 우리의 몸과 토지뿐이라
19 우리가 어찌 우리의 토지와 함께 주의
목전에 죽으리이까 우리 몸과 우리 토
지를 먹을 것을 주고 사소서 우리가 토
지와 함께 바로의 종이 되리니 우리에
게 종자를 주시면 우리가 살고 죽지 아
니하며 토지도 황폐하게 되지 아니하
리이다
20 ●그러므로 요셉이 애굽의 모든 토지

14

15

16

17

18

19

20 ●

를 다 사서 바로에게 바치니 애굽의 모
든 사람들이 기근에 시달려 각기 토지
를 팔았음이라 땅이 바로의 소유가 되
니라
21 요셉이 애굽 땅 이 끝에서 저 끝까지의
백성을 성읍들에 옮겼으나
22 제사장들의 토지는 사지 아니하였으니
제사장들은 바로에게서 녹을 받음이라
바로가 주는 녹을 먹으므로 그들이 토
지를 팔지 않음이었더라
23 요셉이 백성에게 이르되 오늘 내가 바
로를 위하여 너희 몸과 너희 토지를 샀
노라 여기 종자가 있으니 너희는 그 땅
에 뿌리라
24 추수의 오분의 일을 바로에게 상납하
고 오분의 사는 너희가 가져서 토지의
종자로도 삼고 너희의 양식으로도 삼
고 너희 가족과 어린 아이의 양식으로
도 삼으라
25 그들이 이르되 주께서 우리를 살리셨
사오니 우리가 주께 은혜를 입고 바로
의 종이 되겠나이다
26 요셉이 애굽 토지법을 세우매 그 오분
의 일이 바로에게 상납되나 제사장의
토지는 바로의 소유가 되지 아니하여
오늘날까지 이르니라

야곱의 마지막 청

27 ●이스라엘 족속이 애굽 고센 땅에 거
주하며 거기서 생업을 얻어 생육하고
번성하였더라
28 야곱이 애굽 땅에 십칠 년을 거주하였

21

22

23

24

25

26

야곱의 마지막 청

27 ●

28

으니 그의 나이가 백사십칠 세라
29 이스라엘이 죽을 날이 가까우매 그의
아들 요셉을 불러 그에게 이르되 이제
내가 네게 은혜를 입었거든 청하노니
네 손을 내 허벅지 아래에 넣고 인애와
성실함으로 내게 행하여 애굽에 나를
장사하지 아니하도록 하라
30 내가 조상들과 함께 눕거든 너는 나를
애굽에서 메어다가 조상의 묘지에 장
사하라 요셉이 이르되 내가 아버지의
말씀대로 행하리이다
31 야곱이 또 이르되 내게 맹세하라 하매
그가 맹세하니 이스라엘이 침상 머리
에서 하나님께 경배하니라

야곱이 에브라임과 므낫세에게 축복하다

48 이 일 후에 어떤 사람이 요셉에
게 말하기를 네 아버지가 병들
었다 하므로 그가 곧 두 아들 므낫세와
에브라임과 함께 이르니
2 어떤 사람이 야곱에게 말하되 네 아들
요셉이 네게 왔다 하매 이스라엘이 힘
을 내어 침상에 앉아
3 요셉에게 이르되 이전에 가나안 땅 루
스에서 전능하신 하나님이 내게 나타
나사 복을 주시며
4 내게 이르시되 내가 너로 생육하고 번
성하게 하여 네게서 많은 백성이 나게
하고 내가 이 땅을 네 후손에게 주어 영
원한 소유가 되게 하리라 하셨느니라
5 내가 애굽으로 와서 네게 이르기 전에
애굽에서 네가 낳은 두 아들 에브라임

29
30
31
야곱이 에브라임과 므낫세에게 축복하다
48
2
3
4
5

과 므낫세는 내 것이라 르우벤과 시므
온처럼 내 것이 될 것이요
6 이들 후의 네 소생은 네 것이 될 것이
며 그들의 유산은 그들의 형의 이름으
로 함께 받으리라
7 내게 대하여는 내가 이전에 밧단에서
올 때에 라헬이 나를 따르는 도중 가나
안 땅에서 죽었는데 그 곳은 에브랏까
지 길이 아직도 먼 곳이라 내가 거기서
그를 에브랏 길에 장사하였느니라 (에
브랏은 곧 베들레헴이라)
8 ●이스라엘이 요셉의 아들들을 보고
이르되 이들은 누구냐
9 요셉이 그의 아버지에게 아뢰되 이는
하나님이 여기서 내게 주신 아들들이
니이다 아버지가 이르되 그들을 데리
고 내 앞으로 나아오라 내가 그들에게
축복하리라
10 이스라엘의 눈이 나이로 말미암아 어
두워서 보지 못하더라 요셉이 두 아들
을 이끌어 아버지 앞으로 나아가니 이
스라엘이 그들에게 입맞추고 그들을
안고
11 요셉에게 이르되 내가 네 얼굴을 보리
라고는 생각하지 못하였더니 하나님이
내게 네 자손까지도 보게 하셨도다
12 요셉이 아버지의 무릎 사이에서 두
아들을 물러나게 하고 땅에 엎드려
절하고
13 오른손으로는 에브라임을 이스라엘의
왼손을 향하게 하고 왼손으로는 므낫

6
7
8 ●
9
10
11
12
13

세를 이스라엘의 오른손을 향하게 하
여 이끌어 그에게 가까이 나아가매
14 이스라엘이 오른손을 펴서 차남 에브
라임의 머리에 얹고 왼손을 펴서 므낫
세의 머리에 얹으니 므낫세는 장자라
도 팔을 엇바꾸어 얹었더라
15 그가 요셉을 위하여 축복하여 이르되
내 조부 아브라함과 아버지 이삭이 섬
기던 하나님, 나의 출생으로부터 지금
까지 나를 기르신 하나님,
16 나를 모든 환난에서 건지신 여호와의
사자께서 이 아이들에게 복을 주시오
며 이들로 내 이름과 내 조상 아브라함
과 이삭의 이름으로 칭하게 하시오며
이들이 세상에서 번식되게 하시기를
원하나이다
17 요셉이 그 아버지가 오른손을 에브라
임의 머리에 얹은 것을 보고 기뻐하지
아니하여 아버지의 손을 들어 에브라
임의 머리에서 므낫세의 머리로 옮기
고자 하여
18 그의 아버지에게 이르되 아버지여 그
리 마옵소서 이는 장자이니 오른손을
그의 머리에 얹으소서 하였으나
19 그의 아버지가 허락하지 아니하며 이
르되 나도 안다 내 아들아 나도 안다 그
도 한 족속이 되며 그도 크게 되려니와
그의 아우가 그보다 큰 자가 되고 그의
자손이 여러 민족을 이루리라 하고
20 그 날에 그들에게 축복하여 이르되 이
스라엘이 너로 말미암아 축복하기를

14

15

16

17

18

19

20

하나님이 네게 에브라임 같고 므낫세
같게 하시리라 하며 에브라임을 므낫
세보다 앞세웠더라
21 이스라엘이 요셉에게 또 이르되 나는
죽으나 하나님이 너희와 함께 계시사
너희를 인도하여 너희 조상의 땅으로
돌아가게 하시려니와
22 내가 네게 네 형제보다 세겜 땅을 더
주었나니 이는 내가 내 칼과 활로 아모
리 족속의 손에서 빼앗은 것이니라

야곱의 유언과 죽음

49 야곱이 그 아들들을 불러 이르
되 너희는 모이라 너희가 후일
에 당할 일을 내가 너희에게 이르리라
2 너희는 모여 들으라 야곱의 아들들
아 너희 아버지 이스라엘에게 들을
지어다
3 르우벤아 너는 내 장자요 내 능력이
요 내 기력의 시작이라 위풍이 월등
하고 권능이 탁월하다마는
4 물의 끓음 같았은즉 너는 탁월하지
못하리니 네가 아버지의 침상에 올
라 더럽혔음이로다 그가 내 침상에
올랐었도다
5 시므온과 레위는 형제요 그들의 칼
은 폭력의 도구로다
6 내 혼아 그들의 모의에 상관하지 말
지어다 내 영광아 그들의 집회에 참
여하지 말지어다 그들이 그들의 분노
대로 사람을 죽이고 그들의 혈기대
로 소의 발목 힘줄을 끊었음이로다

21

22

야곱의 유언과 죽음

49

2

3

4

5

6

7 그 노여움이 혹독하니 저주를 받을
것이요 분기가 맹렬하니 저주를 받
을 것이라 내가 그들을 야곱 중에서
나누며 이스라엘 중에서 흩으리로다
8 유다야 너는 네 형제의 찬송이 될지
라 네 손이 네 원수의 목을 잡을 것
이요 네 아버지의 아들들이 네 앞에
절하리로다
9 유다는 사자 새끼로다 내 아들아 너
는 움킨 것을 찢고 올라갔도다 그가
엎드리고 웅크림이 수사자 같고 암사
자 같으니 누가 그를 범할 수 있으랴
10 규가 유다를 떠나지 아니하며 통치
자의 지팡이가 그 발 사이에서 떠나
지 아니하기를 실로가 오시기까지
이르리니 그에게 모든 백성이 복종
하리로다
11 그의 나귀를 포도나무에 매며 그의
암나귀 새끼를 아름다운 포도나무에
맬 것이며 또 그 옷을 포도주에 빨며
그의 복장을 포도즙에 빨리로다
12 그의 눈은 포도주로 인하여 붉겠고
그의 이는 우유로 말미암아 희리로다
13 스불론은 해변에 거주하리니 그 곳
은 배 매는 해변이라 그의 경계가 시
돈까지리로다
14 잇사갈은 양의 우리 사이에 꿇어앉
은 건장한 나귀로다
15 그는 쉴 곳을 보고 좋게 여기며 토지
를 보고 아름답게 여기고 어깨를 내
려 짐을 메고 압제 아래에서 섬기리

7

8

9

10

11

12

13

14

15

로다
16 단은 이스라엘의 한 지파 같이 그의
백성을 심판하리로다
17 단은 길섶의 뱀이요 샛길의 독사로
다 말굽을 물어서 그 탄 자를 뒤로
떨어지게 하리로다
18 여호와여 나는 주의 구원을 기다리
나이다
19 갓은 군대의 추격을 받으나 도리어
그 뒤를 추격하리로다
20 아셀에게서 나는 먹을 것은 기름진
것이라 그가 왕의 수라상을 차리리
로다
21 납달리는 놓인 암사슴이라 아름다운
소리를 발하는도다
22 요셉은 무성한 가지 곧 샘 곁의 무성
한 가지라 그 가지가 담을 넘었도다
23 활쏘는 자가 그를 학대하며 적개심
을 가지고 그를 쏘았으나
24 요셉의 활은 도리어 굳세며 그의 팔
은 힘이 있으니 이는 야곱의 전능자
이스라엘의 반석인 목자의 손을 힘
입음이라
25 네 아버지의 하나님께로 말미암나니
그가 너를 도우실 것이요 전능자로
말미암나니 그가 네게 복을 주실 것
이라 위로 하늘의 복과 아래로 깊은
샘의 복과 젖먹이는 복과 태의 복이
리로다
26 네 아버지의 축복이 내 선조의 축복
보다 나아서 영원한 산이 한 없음 갈

16
17
18
19
20
21
22
23
24
25
26

이 이 축복이 요셉의 머리로 돌아오
며 그 형제 중 뛰어난 자의 정수리로
돌아오리로다
27 베냐민은 물어뜯는 이리라 아침에는
빼앗은 것을 먹고 저녁에는 움킨 것
을 나누리로다
28 이들은 이스라엘의 열두 지파라 이와
같이 그들의 아버지가 그들에게 말하
고 그들에게 축복하였으니 곧 그들 각
사람의 분량대로 축복하였더라
29 그가 그들에게 명하여 이르되 내가 내
조상들에게로 돌아가리니 나를 헷 사
람 에브론의 밭에 있는 굴에 우리 선조
와 함께 장사하라
30 이 굴은 가나안 땅 마므레 앞 막벨라
밭에 있는 것이라 아브라함이 헷 사람
에브론에게서 밭과 함께 사서 그의 매
장지를 삼았으므로
31 아브라함과 그의 아내 사라가 거기 장
사되었고 이삭과 그의 아내 리브가도
거기 장사되었으며 나도 레아를 그 곳
에 장사하였노라
32 이 밭과 거기 있는 굴은 헷 사람에게서
산 것이니라
33 야곱이 아들에게 명하기를 마치고 그
발을 침상에 모으고 숨을 거두니 그의
백성에게로 돌아갔더라

50 요셉이 그의 아버지 얼굴에 구
푸려 울며 입맞추고
2 그 수종 드는 의원에게 명하여 아버지
의 몸을 향으로 처리하게 하매 의원이

27
28
29
30
31
32
33
50
2

이스라엘에게 그대로 하되
3 사십 일이 걸렸으니 향으로 처리하는
데는 이 날수가 걸림이며 애굽 사람들
은 칠십 일 동안 그를 위하여 곡하였
더라
4 ●곡하는 기한이 지나매 요셉이 바로
의 궁에 말하여 이르되 내가 너희에게
은혜를 입었으면 원하건대 바로의 귀
에 아뢰기를
5 우리 아버지가 나로 맹세하게 하여 이
르되 내가 죽거든 가나안 땅에 내가
파 놓은 묘실에 나를 장사하라 하였나
니 나로 올라가서 아버지를 장사하게
하소서 내가 다시 오리이다 하라 하였
더니
6 바로가 이르되 그가 네게 시킨 맹세대
로 올라가서 네 아버지를 장사하라
7 요셉이 자기 아버지를 장사하러 올라
가니 바로의 모든 신하와 바로 궁의 원
로들과 애굽 땅의 모든 원로와
8 요셉의 온 집과 그의 형제들과 그의 아
버지의 집이 그와 함께 올라가고 그들
의 어린 아이들과 양 떼와 소 떼만 고
센 땅에 남겼으며
9 병거와 기병이 요셉을 따라 올라가니
그 떼가 심히 컸더라
10 그들이 요단 강 건너편 아닷 타작 마당
에 이르러 거기서 크게 울고 애통하며
요셉이 아버지를 위하여 칠 일 동안 애
곡하였더니
11 그 땅 거민 가나안 백성들이 아닷 마당

3

4 ●

5

6

7

8

9

10

11

의 애통을 보고 이르되 이는 애굽 사람
의 큰 애통이라 하였으므로 그 땅 이름
을 아벨미스라임이라 하였으니 곧 요
단 강 건너편이더라
12 야곱의 아들들이 아버지가 그들에게
명령한 대로 그를 위해 따라 행하여
13 그를 가나안 땅으로 메어다가 마므레
앞 막벨라 밭 굴에 장사하였으니 이는
아브라함이 헷 족속 에브론에게 밭과
함께 사서 매장지를 삼은 곳이더라
14 요셉이 아버지를 장사한 후에 자기 형
제와 호상꾼과 함께 애굽으로 돌아왔
더라

요셉이 형들을 위로하다

15 ●요셉의 형제들이 그들의 아버지가
죽었음을 보고 말하되 요셉이 혹시 우
리를 미워하여 우리가 그에게 행한 모
든 악을 다 갚지나 아니할까 하고
16 요셉에게 말을 전하여 이르되 당신의
아버지가 돌아가시기 전에 명령하여
이르시기를
17 너희는 이같이 요셉에게 이르라 네 형
들이 네게 악을 행하였을지라도 이제
바라건대 그들의 허물과 죄를 용서하
라 하셨나니 당신 아버지의 하나님의
종들인 우리 죄를 이제 용서하소서 하
매 요셉이 그들이 그에게 하는 말을 들
을 때에 울었더라
18 그의 형들이 또 친히 와서 요셉의 앞에
엎드려 이르되 우리는 당신의 종들이
니이다

12

13

14

요셉이 형들을 위로하다

15 ●

16

17

18

19 요셉이 그들에게 이르되 두려워하지
마소서 내가 하나님을 대신하리이까
20 당신들은 나를 해하려 하였으나 하나
님은 그것을 선으로 바꾸사 오늘과 같
이 많은 백성의 생명을 구원하게 하시
려 하셨나니
21 당신들은 두려워하지 마소서 내가 당
신들과 당신들의 자녀를 기르리이다
하고 그들을 간곡한 말로 위로하였더
라

요셉이 죽다

22 ● 요셉이 그의 아버지의 가족과 함께
애굽에 거주하여 백십 세를 살며
23 에브라임의 자손 삼대를 보았으며 므
낫세의 아들 마길의 아들들도 요셉의
슬하에서 양육되었더라
24 요셉이 그의 형제들에게 이르되 나는
죽을 것이나 하나님이 당신들을 돌보
시고 당신들을 이 땅에서 인도하여 내
사 아브라함과 이삭과 야곱에게 맹세
하신 땅에 이르게 하시리라 하고
25 요셉이 또 이스라엘 자손에게 맹세시
켜 이르기를 하나님이 반드시 당신들
을 돌보시리니 당신들은 여기서 내 해
골을 메고 올라가겠다 하라 하였더라
26 요셉이 백십 세에 죽으매 그들이 그의
몸에 향 재료를 넣고 애굽에서 입관하
였더라

19

20

21

요셉이 죽다

22 ●

23

24

25

26

아가페 필사&쓰기 전용펜

필사&쓰기성경®에 왜 전용펜을 사용해야 할까요?

1. 잉크의 뭉침이 없는 깨끗한 필기감
2. 쓸수록 종이가 부푸는 현상 방지
3. 종이끼리 붙지 않아 오랫동안 보관 가능
4. 물기로 인한 글자 훼손 방지

일반용

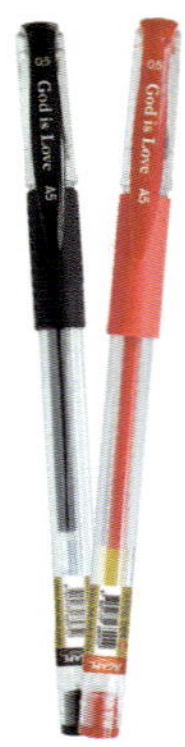

* 신약성경의 예수님 말씀은 빨간색 펜을 사용하세요.

일반 필사&쓰기성경 전용펜 A5 (검정/빨강) 값 900원

일반 필사&쓰기성경 전용펜 A5 (검정/빨강–1박스/12자루) 값 10,800원

중용량

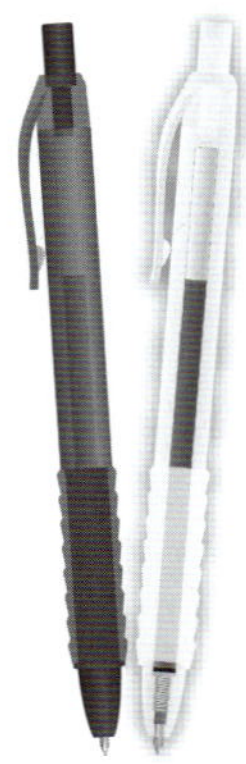

필사&쓰기 전용펜 (고급) (블랙/투명) 값 1,600원

필사&쓰기 전용펜 (고급) (블랙/투명–1박스/12자루) 값 19,200원

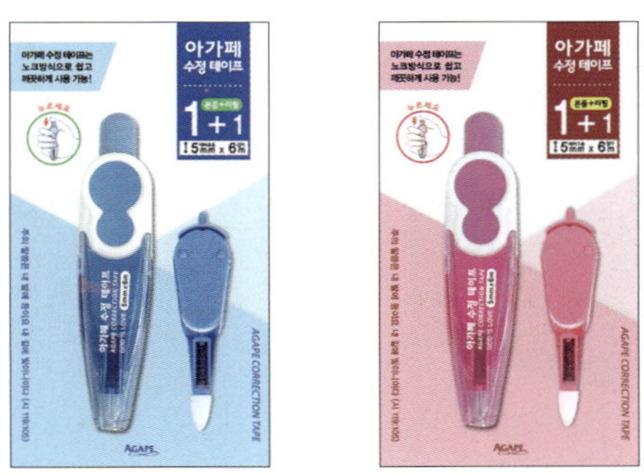

쓰기성경을 쓰다가 잘못 쓴 글씨는 수정 테이프를 사용하세요.

아가페 수정 테이프 (본품+리필) (블루/핑크) 값 3,500원

www.agape25.com 02)584-4669 [주]아가페출판사

본문이 있는 채움 쓰기성경®

편집 저작물 등록
★★★
저작권 등록이 되어 있는 편집저작물입니다.

본문이 있는 채움 쓰기성경 | 프리미엄 대 (210X297)

사이즈가 커서 목회자 설교 노트, 내가 만든 대조성경으로 활용할 수 있는 쓰기성경

+ 세트 및 신약 구매 시 쓰기성경 전용펜 2종 증정

세트 정가 (구약+신약)	
~~120,000원~~ → 116,000원	
낱권 정가	구약 ❶,❷,❸권 신약
각 권 30,000원	

본문이 있는 채움 쓰기성경 | 스탠다드 중 (185X256)

본문의 가독성이 뛰어나고 1:1로 맞추어 필사할 수 있는 쓰기성경

+ 세트 및 신약 구매 시 쓰기성경 전용펜 2종 증정

세트 정가 (구약+신약)	
~~116,000원~~ → 112,000원	
낱권 정가	구약 ❶,❷,❸권 신약
각 권 29,000원	

※ 인터넷 서점 및 전국 기독교 서점에서 구매하실 수 있습니다.